Pyramid

世界のピラミッド
Wonderland

編著 河江肖剰・佐藤悦夫 他

Wonderland

はじめに

　「ピラミッド」は、三角形の菓子パンを指すギリシア語のピューラミスに語源があると言われている。それは、ヘロドトスやディオドロス、ストラボンなど古代ギリシア・ローマの歴史家たち用いたエジプトのピラミッドを指す言葉だったが、現在は普遍化し、四角錐や円錐形の建造物を示す言葉として世界中で用いられている。

　本書では、時空を超えて人類が造りあげた、異なる文明の「ピラミッド」が集められ、各分野の専門家によって、そのエッセンスが豊富な写真やイラストとともに紹介されている。読者は、ピラミッドの美しさや偉大さに驚嘆するとともに、古代の人々のその飽くなき探究心や挑戦心を感じてほしい。

アフリカ、アジア、メソアメリカ、ヨーロッパ
と異なる場所で造営されたそれらは、形、大きさ、
建造場所、建造目的と方法は実に多様である。多
くは死生観に関わるものだが、俯瞰的あるいは多
面的に見ると、そこに生きた人々の社会構造や政
治経済活動が現れてくる。さらに何十年にも渡り
積み重なる考古調査の成果や、新しい発見、近年
の最新技術の適用などによって、新事実も明らか
になりつつあるが、逆に謎も深まっている。

　「なぜ、人はピラミッドを作ったのだろう?」——
それは一言で答えられるものではないが、本書を
読むことで、ピラミッド建造にかけた当時の人間
の知恵や奮闘や切望を少しでも感じてもらえれば、
筆者の一人としてそれに勝る喜びはない。

2020年12月　河江肖剰

Contents

Egypt
エジプト編

1 ネチェリケト王のピラミッド

2 スネフェル王のピラミッド

Teotihuacan
テオティワカン編

Europe
ヨーロッパ編

Borobudur
ボロブドゥール編

世界の主な
ピラミッドMAP

本書では、古代に作られた四角錐の石造建築を
「ピラミッド」と定義している。
年代、地域ともにそれぞれで大きな差異があるが、
世界中にはこれだけの数の
「ピラミッド」が散らばる。

エジプト編

①ネチェリケト王の
ピラミッド／P018

②スネフィル王の
ピラミッド／P024

③クフ王の
ピラミッド／P038

④カフラー王の
ピラミッド／P056

⑤メンカウラー王の
ピラミッド／P072

世界のピラミッド
建造時期の年表

紀元前3000年	紀元前2000年	紀元前1000年

ネチェリケト王のピラミッド（紀元前2592-2566年頃）
スネフェル王のピラミッド（紀元前2543-2510年頃）
クフ王のピラミッド（紀元前2509-2483年頃）
カフラー王のピラミッド（紀元前2472-2448年頃）
メンカウラー王のピラミッド（紀元前2447-2442年頃）

テオティワカン編

⑥月のピラミッド／P090

⑦太陽のピラミッド／P094

⑧羽毛の生えた蛇神殿／P096

⑨モンテ・アルバンのピラミッド／P106

⑩ティカルのピラミッド／P108

⑪カミナルフユーのピラミッド／P112

⑫コパンのピラミッド／P116

⑥⑦⑧
⑨
⑩⑪
⑫

ヨーロッパ編

⑬エリニコのピラミッド／P124

⑭ガイウス・ケスティウスのピラミッド／P128

ボロブドゥール編

⑮ボロブドゥールのピラミッド／P134

紀元前1年
紀元後1年
月のピラミッド（紀元後1–650年頃）
ボロブドゥール（紀元後700–800年頃）
1000年
2000年
2020年
ガイウス・ケスティウスのピラミッド（紀元前18–12年頃）
エリニコのピラミッド（紀元前300年頃）
太陽のピラミッド（紀元後 200–650年頃）
羽毛の生えた蛇神殿（紀元後200–650年頃）
カミナルフユー（エスペランサ期：紀元後400年–600年頃）
モンテ・アルバン（モンテ・アルバンIII期：紀元後200–700年頃）
コパン（紀元後426–820年頃）
ティカル（紀元後約300–900年頃）

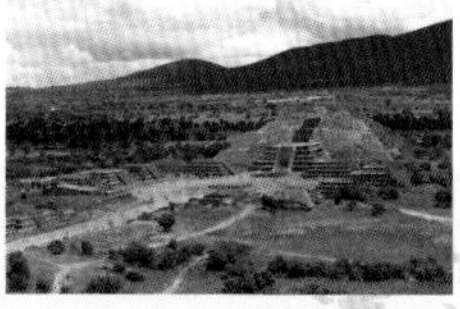

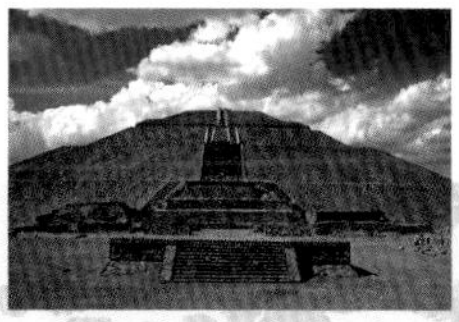

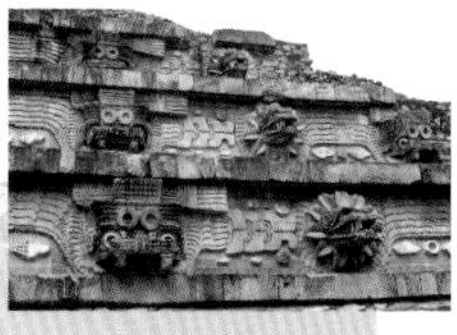

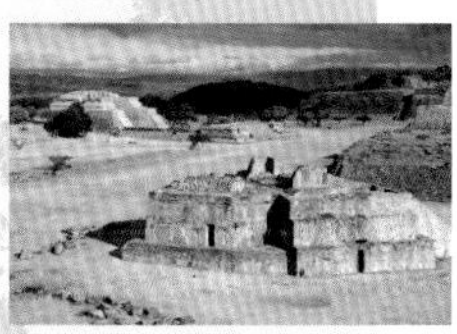

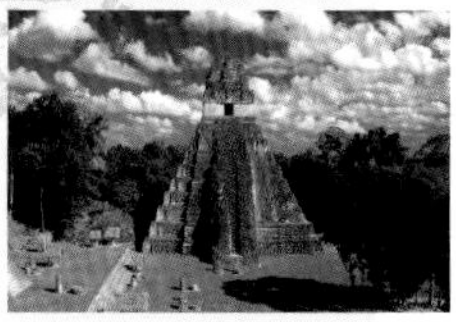

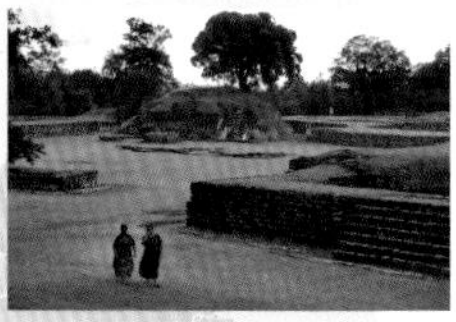

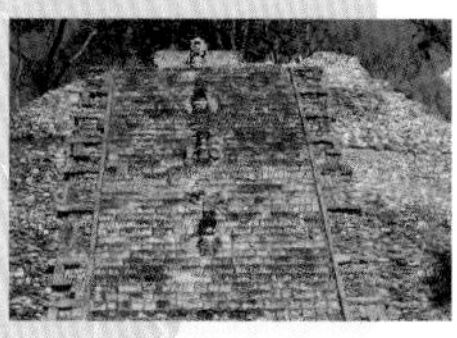

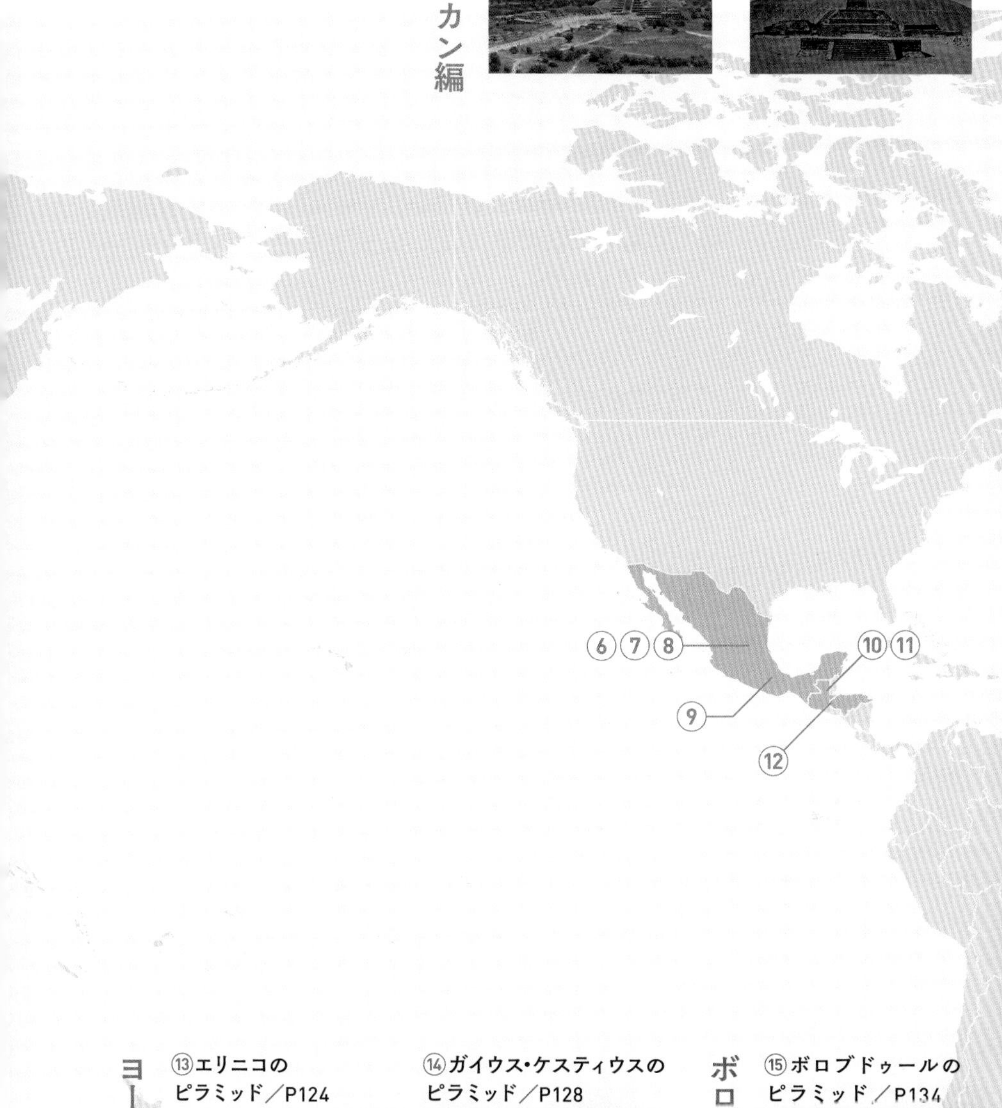

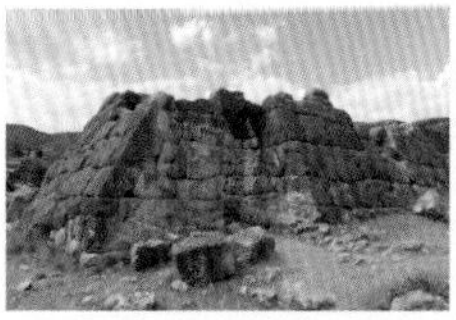

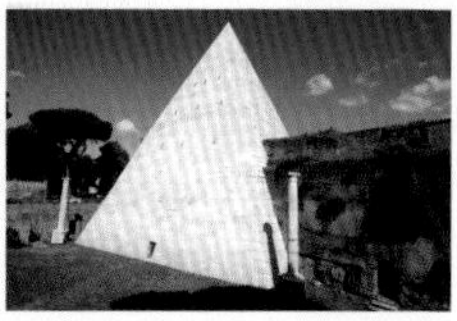

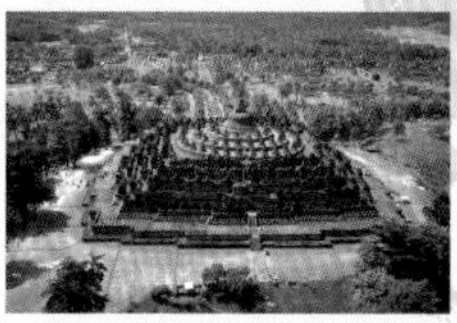

「四角錐の石造建築」
ピラミッドの世界事情

「ピラミッド」はエジプトだけにあるものではない。
アジア、ヨーロッパ、メソアメリカ……。
世界各地に鎮まる、四角錐型石造建築を集めた。

「ピラミッド」として誰しもがまず思い浮かべるのは、「ギザの大ピラミッド」として知られる古代エジプト第4王朝、クフ王のピラミッドではないだろうか。高さ建設当初146,59mにも及ぶ巨大な石造建築は、紀元前2500年頃に建てられたものだとされている。

同じくエジプトのサッカラには、現在、世界最古とも言われるピラミッドが現在も残されているなど、同地は多くのピラミッドが集まる場所として知られている。これらエジプトのピラミッドは墳墓として建造されたものだとされているが、一方で世界を見渡すと、別の目的で建てられた四角錐形石造建築も散見される。

Egypt

上／頂上への中途で壁面の角度が変わることから「屈折ピラミッド」と呼ばれることもあるスネフェル王のピラミッド。ピラミッド表面を覆う化粧板は一部が剥落している。　中／クフ王のピラミッド（奥）とカフラー王のピラミッド（手前）。発掘調査により、少しずつピラミッドタウンの様子が明らかにされてきた。　下／クフ王のピラミッドの内部。ピラミッド内部の一部の空間などには、用途が明らかになっていない箇所も多い。

スフィンクスとメンカウラー王のピラミッド。スフィンクスとその周辺の建造物は未完成のまま現在に至る。

Borobudur

　儀礼の場所として利用されたと考えられている
メソアメリカのピラミッドや、軍事施設や塔とし
ての役割を持っていたと考えられているエリニコ
のピラミッド（ギリシア）などである。

　それらは当時を知る手がかりが少ないものも多
く、発掘調査が難航しているものも少なからずあ
る。さらに多くの調査は当然ながら1世代では完
了せず、発掘調査に携わる多くの先人たちの活動
により、少しずつ明らかにされてきた。

　建造の工程にしても、巨大な石材の切削、運搬
など未だ推測の域を出ない事項もある。また、調

査発掘の結果、それまでの説がほぼ180℃転換す
るような事実が発見されることもしばしばあった。

　本書では世界各地に建造され、現在にまで様々
な形で残されている四角錐の石造建築を「ピラミ
ッド」と定義し、それぞれの役割、建造、増改築
の変遷などを紹介する。

　年代、地域、また建造物を構成する素材や周辺
の遺物などはそれぞれで異なるが、いずれも同じ
ような造形、すなわち「ピラミッド型」により建
てられている。目に見える共通点である、こうし

インドネシア・ジャワ島のボロブドゥ
ール寺院遺跡。世界最大とも言われる
仏教遺跡も四角錐の石造建築の1つ。

上／テオティワカン　メキシコ中央高地ではテオ
ティワカン文明が栄えた。都市の中心部に建つ「月
のピラミッド」。　中／「太陽のピラミッド」。高さ
63m、四方の長さ223mでテオティワカン最大の
規模を誇る建造物。　下／ホンジュラス・コパン
遺跡の球技場。コパンは紀元後5〜9世紀に栄えた
文明で、初代王のキニチ・ヤシュ・クック・モは
テオティワカンと繋がりがあったとされる。

上／古代ローマの法務官、ガイウス・ケスティウ
スの墓とされるイタリア・ローマのピラミッド。
数度にわたる修復工事が行われ、美しい姿で現在
も残る。　下／ギリシア・エリニコにある「ピラ
ミッド」は古代ギリシアの歩哨、守備隊が詰所と
して使うための施設として建造されたとも言われ
る。現在、一部は崩落してしまっている。

たピラミッド型の形状にどのような意味があるか
について、答えを出すことに重要性はあまりない
だろう。また、それぞれで明らかにされているこ
と、されていないことの深浅は異なり、全編を通
して同じ情報量を盛り込むことはなかなか難しい。
しかし、世界各地に散らばるこれらの「ピラミッ
ド」が建てられた当時の人々の暮らしや街の風景、
さらにそれらを飽くなき努力によって1つずつ明
らかにしてきた、研究者たちの発掘調査の歴史に
ついて、読者の関心が高まれば幸いである。

Egypt

エジプト編

世界最古のピラミッドや、ギザの三大ピラミッドなど数百基を越すピラミッドが建造されたアフリカ大陸北部・エジプト。他地域のピラミッドと比較した際、規模の大きさだけでなく、長い期間をかけて大規模な発掘調査が行われている地域でもある。

著／河江肖剰

ネチェリケト王の
ピラミッド

Netjerkhet Pyramid

ネチェリケト王の坐像。「ジョセル（Djoser）」
の名で呼ばれることもある。

エジプト最古の
ピラミッド

The oldest pyramid
in the world

それまでの石材や形状と全く異なる新たな墳墓。
ネチェリケト王は、歴代の王や高官たちの眠る
聖なる台地に、エジプトで初めての
「ピラミッド」を建造した。

エジプトで最古のピラミッドが建造されたの
は、現在の首都であるカイロの中心地から
南に20kmほどに位置するサッカラだった。そこは
石灰岩の小高い台地であり、古代では、ナイル川
はその麓のすぐ側に流れており、初期王朝後期（紀
元前2730~2590年頃）から王墓や高官たちの墓が
建てられた聖地だった。紀元前2592年頃、〈神の
肉体〉という意味を持つネチェリケト王は、この
サッカラ台地に、これまでにない形状と材質で自
らの墓の造営を始めた。

それまで墓の材質は日干しレンガだった。一部、
埋葬室（玄室）だけが石材で造られることもあっ
たが、ネチェリケト王は墓と周囲の複雑な建造物
すべてを、当時〈白い石〉と呼ばれた石灰岩で作
らせた。そのため彼は後に〈石を開く者〉とも呼
ばれている。サッカラ台地は、始新世に形成され
た石灰岩の独自の部層であり、品質はそれほど良
くないが、50cmほどの均等な層と薄い粘土層が堆
積しているため採掘が容易だった。階段ピラミッ
ドの南には露天掘りの採石場が発見されているが、

階段ピラミッドとコブラの装飾のある複合体の一部。正面の広いスペースはセド祭の中庭。

巨大な供物台と未発掘の状態の階段ピラミッド北側。

初めてのピラミッドは「石を開く者」の墳墓

規模が小さいため、おそらく現在傾斜になっている台地の東からも石材が採掘されたのだろう。

墓の形状は、最初は伝統的な方形の上部構造を持つマスタバ墳墓だった。その後、6段階の大規模な拡張工事によって、現在の階段型のピラミッドへと姿を変えていったが、この増築はおそらく王の再生と関わる宗教的行為でもあったと考えられており、最初に作ったものを次に作ったものが隠すという、初期王朝の記念建造物の習慣にも則っている。この際、考案されたのが内側に石材を傾斜させつつ、レイヤー状に付け加えていく「付加構造」である。

最終的に高さ60m、基底部121ｍ×109ｍのピラミッドと、周囲には葬祭神殿、王の彫像が安置されるセルダブの小部屋、王の祝祭のためのセド祭りの中庭、数百の倉庫、北と南のパビリオン、謎めいた南の墓など様々な建物が建ち並ぶ巨大な複合葬祭記念建造物が完成した。そして、それらすべてを囲む、高さ10.5ｍ、周囲の長さ1650ｍの凹凸のある波打った形状の周壁が、現世へ隔てるように、ネチェリケト王が統治する異世界を造りあげたのである。

階段ピラミッドの南側。1〜2段目の窪みから、
ピラミッドの姿を変えた拡張工事の様子が伺える。

この溝に青いパネルがはまっていた。
溝は壁面全体に見ることができる。

階段ピラミッドの周壁。

ネチェリケト王のピラミッド

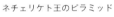

階段ピラミッド東面の一部。斜面の
付加構造がわかる。

ピラミッドを
囲む壁はかつて
美しいブルーのパネルで
彩られていた

迷宮のような
ピラミッド内部

Labyrinthine
internal structure

伝統的な形状「マスタバ墳墓」からの拡張工事で
できた階段状ピラミッド。さらにその内部は
複雑な構造から成る。幾たびもの盗掘に合いながら、
わずかだが貴重な記録は残されていた。

上／修復された階段ピラミッドの玄室。
左／玄室を上から見たようす。上の面に
は花崗岩でできた円筒形の栓が見える。

階段ピラミッドの建造責任者は、ネチェリケト王の宰相であったイムヘテプだった。彼は財務官や主任朗唱神官という称号を持ち、後の時代には、知恵と医術の神としても祀られた。イムヘテプは階段ピラミッド内部に通路や部屋や竪坑を複雑に混在させ、その全長は5.7km以上となり、さながら迷宮のようだった。中央には、縦横7m、深さ28mの竪坑を造らせ、その底に4段の花崗岩でできた巨大な金庫のような埋葬室が設けられている。その地下に置かれた埋葬室への入口は極めてユニークで、天井部に設けられた直径1m程の円筒形の穴だけであり、それは3.5tの重さの花崗岩でできた円筒形の栓で塞がれていた。このピラミッドを70年以上に渡って調査したフランスの建築家ジャン＝フィリップ・ロエールは、内部に金箔の棺とミイラが納めてあったのではないかと推測していたが、数千年の間の盗掘によって荒らされてしまい、ほとんど何も残っていない。竪坑の中で発見されたのは金メッキが施されたサンダルの断片や頭蓋骨、右足の踵と上腕骨の欠片だが、それが王のものかは分かっていない。ただ埋葬室内部からはネチェリケト王の名前を記した木製小箱が見つかっている。

この迷路のような地下には、冥界における王宮を象徴していると考えられている、来世と再生の色である青いファイアンスのタイルがはめ込まれた壁面がある通路がある。壁には、3つの偽扉が設置されており、そこに王が上エジプトの象徴である白い冠を戴く姿と、同じく白い冠を被った王が走っている姿、そして下エジプトの象徴である赤い冠を被り走っている姿が描かれている。走る王は、「セド祭り」という王位更新の祭りで行われた儀式の一場面を示しており、実際、王は階段ピラミッドの南の広場を走ったと考えられている。

いくつかの通路には、エジプシャン・アラバスターや閃緑岩でできた石製容器が発見されており、その数は40,000個にも及ぶ。興味深いことに、その器に刻まれた碑文はネチェリケト王の名前ではなく、第1王朝や第2王朝の先王たちの名前だった。さらに、別の竪坑からは王妃や子供たちが埋葬されたと思われる場所も発見されている。階段ピラミッドは、ネチェリケト王の埋葬場所であっただけでなく、自らの王妃や子供たちも埋葬する王家の共同墓地であり、先王たちの記録を保管する場所としても用いられていたのである。

エジプシャンアラバスターの石製容器。

左／南の墓の壁面の偽扉。中央にはセド祭りの「走る王」の場面が描かれている。
中／南の墓から見つかった青いパネルのタイル。
右／閃緑岩でできた石製容器。地下通路から発見されたものだ。

2

スネフェル王のピラミッド

Sneferu Pyramid

最初の真正ピラミッド
——メイドゥム

The first
true pyramid

強大な力を備えたスネフェル王。
その象徴が「ジェド・スネフェル」だった。
高さ90mを越すその巨大な建造物は
権威を示すのに十分なものだっただろう。

現在は化粧板などが剥落し、3段に見えるスネフェル王のピラミッド。しかし、かつては8段もの内部構造を持つ巨大な階段ピラミッドだった。

現存するエジプト最古の年代記「パレルモ・ストーン」。王朝以前の歴史から、第5王朝までの歴史が刻まれている。現在、イタリアのパレルモ博物館収蔵。

天井が狭くなる「持ち送り構造」の玄室。

紀元前2543年頃、スネフェルがエジプトの王位に就いたとき、彼が目の当たりにできた巨大なピラミッドは、サッカラに建てられたネチェリケト王の階段ピラミッドだけだった。他には、未完のピラミッドや小型の祭祀用ピラミッドがあるだけで、その最古にして最大の王墓は、若き王にとって超えるべき目標である建造物だった。

スネフェルは、当時王都であったメイドゥムにおいて、巨大な7段（のちに8段に拡大）の階段ピラミッドの造営に取り掛かった。石積は、内部に傾斜して設置される伝統的な「付加構造」が用いられたが、内部構造は、これまでの複雑で入り組んだ地下構造とは異なり、シンプルなものとした。それは、王の魂が周極星と一体化できるよう設けられた北の入口とそこから続く下降通路、そして王の埋葬室（玄室）だけである。しかし、玄室の位置が地表面に定められたことから、空間を保護するため、「持送り構造」の天井が開発された。さらに近年の調査により、興味深い空間が玄室の北側で発見されている。それは持送り構造を持つ別の2つの小さな部屋と、そこから北に向かって延びる別の通路だった。この構造の目的は現在でも明らかになっていない。スネフェルはこの階段ピラミッド建造をわずか14年で完遂させ、さらにメイドゥムの西の高台に、小型の階段ピラミッドを祭祀用のものとして建造した。

当時のスネフェル王の力には凄まじいものがあった。「パレルモ・ストーン」という年代記によれば、南のヌビアから7,000人の捕虜と20万に及ぶ家畜を戦利品とし、北のレバノンからのマツを用いて40艘の舟を造船し、国内のデルタ地帯では122の牧場を伴う領地を設けている。

治世15年、重要度を増しつつあった北のレヴァントとの交易拠点にも近いダフシュールに王都を移し、そこで新しい四角錐の王墓の建造を始めた（次章）。しかし、この新しいピラミッドは構造上様々な問題を抱えたため、治世28年にメイドゥムに回帰し、階段ピラミッドを真正ピラミッドへ改変することを試み、51° 50' 35" の傾斜を持つ、高さ92m、基底部の長さ144 mの、ネチェリケト王の階段ピラミッドを超える巨大なピラミッドを完成させたのである。このピラミッドはジェド・スネフェル〈スネフェルは不朽なり〉と名付けられた。しかし、残念なことに、後のおそらく新王国時代以降、外装である化粧板や充填剤が奪われ、現在は3段の塔のような内部の構造体が露出した形になってしまっている。

スネフェルはこの後、ダフシュールに新たなピラミッドを造営し直している。彼が建設した計4基のピラミッドの石材の総量は、エジプト最大のクフ王のピラミッドのそれを凌駕する。しかし歴史的背景を考えると、もともと4基のピラミッドを建てる青写真があったのではなく、試行錯誤のなかで4基完成させた結果に過ぎない。重要なのは、後のギザのピラミッド建造でも見ることができる、この飽くなきトライアンドエラーの精神が古王国第4王朝というピラミッド白眉の時代を生み出した点にあるのである。

スネフェル王のピラミッド内部構造

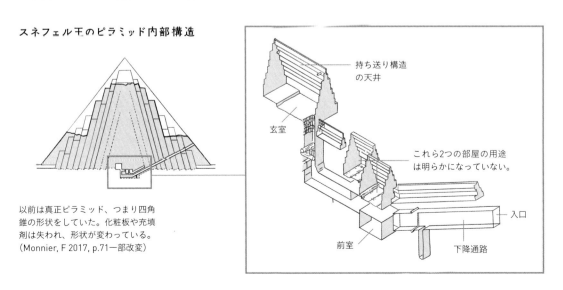

以前は真正ピラミッド、つまり四角錐の形状をしていた。化粧板や充填剤は失われ、形状が変わっている。
（Monnier, F 2017, p.71一部改変）

持ち送り構造
の天井

玄室

これら2つの部屋の用途
は明らかになっていない。

入口

前室

下降通路

ピラミッド複合体と
ネクロポリス

Construction site
selection

〈スネフェルは不朽なり〉と呼ばれた
王都メイドゥムには、スネフェル王の葬祭神殿を
中心とした建造物の集合体がある。
ここでは古王国時代の重鎮らの
美しい坐像が見つかっている。

葬祭神殿からの参道跡。
東へ200mほどの長さ
で伸びている。

石碑には何も記されていない。これはこのピラミッドが空墓であるためだと考えられている。

メイドゥムから見つかった保存状態の良い坐像。ラーヘテプ（左）とネフェルト（右）。

ピラミッドとその周囲に建造された葬祭に関わる一連の建造物は「ピラミッド複合体」と呼ばれている。それらは大きくネチェリケト王の造った南北の軸線に沿って建造要素を配置するものと、東西の軸線に沿うものの2種類に分けることができる。前者が星辰崇拝と関わる形で葬祭神殿をピラミッドの北に造っているのに対し、後者の葬祭神殿は太陽信仰との関わりから東に造られている。その最古の例がメイドゥムである。

メイドゥムの葬祭神殿の保存状態は良好で屋根も残っている。構造はシンプルで入口と小さな細長い部屋、さらに奥には別の天井のない部屋がある。そして、そこに上部が丸い何も書かれていない不思議な石碑が2基建っている。葬祭神殿というよりむしろ礼拝堂の規模だが、これはメイドゥムのピラミッドは空墓であり、実際スネフェルは埋葬されなかったためだろう。この葬祭神殿から、東に向かって200mほどの岩盤に、掘り込まれた側壁を持つ参道が発見されている。しかし、その先には、後に標準的となる河岸神殿は見つかっておらず、日干しレンガの壁が東西に延びているだ

けである。王のミイラを運ぶための港や、ミイラ作りに関わる河岸神殿も、ここでは不要だっためだろう。

しかしメイドゥム自体は、ピラミッドの名前にもなっているジェド・スネフェル〈スネフェルは不朽なり〉と呼ばれた王都であったため、ここには王族や高官たちの墓が造営された。そのうちの1つから、古王国時代で最高傑作品と称されるラーヘテプとネフェルトの彫像が発見されている。これらはピラミッドの北側に設けられた王家の墓地に建てられた、彼らの墓に安置されていた。

ラーヘテプはヘリオポリスの大司祭であり、軍の長官、そしてスネフェル王の息子である。引き締まり焼けた身体を持ち、口ひげを付けている。〈美しい女〉を意味する妻のネフェルトは、白い肌で、透き通る亜麻布の服を着て、頭にはカツラを被っている。現在カイロの博物館の収蔵されているこの夫婦の座像は4,500年以上前のものと思えないほど保存状態が良く、ピラミッドを造営した当時の人々の姿を、まざまざと想像できる作品である。

宰相ネフェルマアトの妻であるアテトの墓で発見された保存状態の良い壁画。描かれている鳥はガン（エジプトガン）。

試行錯誤の
屈折ピラミッド

Trial-and-error
pyramid

「四角錐」。その形状を初めて
採用したのがスネフェル王だった。
しかしその過程には様々な困難があった。
「変形ピラミッド」は試行錯誤の象徴とも言える形状だ。

中途から緩やかな傾斜へ
無理ない構造のための
知恵が凝集された形状

スネフェル王の屈折ピラミッド。化粧板が現在でも残されているなど、比較的保存状態の良いピラミッドだ。

礼拝堂（小型の葬祭神殿）。葬祭の儀式は果たして、ここで行われたのだろうか。確かなことはわかっていない。

　治世15年、スネフェル王はダフシュールに宮廷を移し、そこにエジプト史上初めて真正ピラミッドの建造を試みた。私たちがよく知る四角錐のピラミッドの形状は、この王から始まったのだ。しかし当時は「大いなる実験の時代」であり、最初に建造されたこの真正ピラミッドは建造途中で様々な問題を抱えることになり、何度も計画を変更しなければならなかった。

　もともとは60°の急な角度で、小型の四角錐ピラミッドを造ろうとしていたが、巨大な石材の重み

に耐えかねた地盤沈下に伴う内部構造の崩落の危険性が生じ、基盤を広げ、角度を少し緩やかな55°に変更した。石積は内部に傾斜する伝統的な方法が取られたが、これもピラミッドに対する重圧を増加する結果となり、さらに角度を43°という緩やかなものに変えねばならず、石積も水平な置き方へと変化した。最終的に高さ105m、底辺の長さ188ｍと、これまでにない最大規模となったが、45ｍの高さから傾斜が変わる「屈折ピラミッド」という奇妙な形状の建築物となった。

ピラミッドの北東の角の
化粧板、石材は欠落して
いる。石材は再利用に使
用された。

「屈折」の箇所。地上から45メートル
の地点で60°から55°の角度へと変わり、
特徴的なピラミッドの形状を形作る。

スネフェル王のカルトゥーシュが刻まれた石碑。

　ピラミッド内部でも実験が行われた。ここで、王
を天の太陽に近づけるべく、初めて埋葬室を地下
から地上よりも持ち上げようとした。当時、王を
太陽神として見なす信仰が始まったのである。ス
ネフェルは、王名を囲む長円形の枠である「カル
トゥーシュ」を最初に用いた王であり、これは太
陽の運行する全ての土地を王が支配することを象
徴した「枠」だった。太陽信仰の台頭に合わせる
ように、入口もこれまでのような周極星に繋がる
北だけではなく、太陽が沈む西にも設けられ、2つ
の通路と2つの持送り構造の天井がある玄室が作ら

れた。

　屈折ピラミッドの複合体は、後に伝統となる、河
岸神殿、参道、葬祭神殿の一連の構造物が存在す
る最古のものである。河岸神殿は、ピラミッドの
北東の角から600mほどの位置に建造された。興味
深いことに、近年の発掘調査で明らかになったの
は、元々ここには河岸神殿よりも古い構造物が建
てられていたことである。それは巨大な庭園に囲
まれた日干し煉瓦でできた祭祀儀礼の場所だった。
砂漠の中に植えられたのは、ヤシ、シカモア、レ
バノンから輸入してきたイトスギなど、なんと300

河岸神殿の下層の庭園跡。ヤシやシカモア、イトスギなど300本以上の樹木が植えられていた。

化粧板を使った負荷構造。ピラミッドの伝統的な作り方が見られる。

河岸神殿からピラミッドへ
（Lehner, M 1997, p.104 一部改変）

葬祭神殿

屈折ピラミッド

約600m

参道は河岸神殿の
北東の角からピラ
ミッドへと延びる。

河岸神殿

N ←

河岸神殿

河岸神殿の建造前には巨大
な庭園に囲まれた祭祀儀礼
の場所があった。

本以上の樹木だった。神殿中には、豊穣のための
儀式の跡が発見されており、また神殿で働いてい
た神官たちが住んでいた町の輪郭も明らかになっ
ている。

　河岸神殿から延びる参道は東に設けられた葬祭
神殿へと繋がる。ここは礼拝堂と2基のやはり何も
刻まれていない石碑を持つ小さな建物だった。こ
こで王の葬祭の儀式を行ったとは考えづらく、こ
のピラミッドは埋葬場所ではなく、空墓として完
成させた証左だと考える研究者もいる。

スネフェル王が最後に作ったピラミッド。ここに彼の遺体が埋葬されたのかもしれない。

赤ピラミッドと畜牛頭数調査

Red pyramid and
cattle counting

スネフェル王朝最末期に建てられた
「赤ピラミッド」。短期間で建造されたと思われる
この巨大なピラミッドからは、
労働者による貴重な記録が残されている。

上／持ち送り構造の天井を真下から見上げたようす。
下左／持ち送り式により作られた前室。
下右／スネフェル王のセド祭のレリーフ。

　ネフェル王の治世30年、王位更新の祭を行うと同時に、彼は新しい、そして最後のピラミッドの造営を開始した。場所は屈折ピラミッドからすぐ北に2kmほどの地点だった。

　ピラミッドは高さ105m、基底部の長さ220 mと巨大だが、傾斜角度は43°22'と緩やかであり、屈折ピラミッドの上部の傾斜角度と同じである。これはあきらかに、屈折ピラミッド建造の失敗を考慮してのことだろう。

　ピラミッドの化粧板は剥がれ落ちて周囲に転がっているが、いくつかの石材には、古代の労働者による朱色の落書きが記されていた。これらは「落書き」に分類されているが、この時代のものは殆どが筆記体で書かれた公的な文字資料だ。そこに「15回目の畜牛頭数調査、南西の隅石」という言及があった。この調査はおおよそ2年に一度

行われると考えられているため、スネフェルの治世30年を示している。さらに基底部から30段上に、わずか4年後の日付が記された落書きが発見された。ここから推測すると、これまで赤ピラミッドの建設には少なくとも15年、おそらく20〜22年の歳月を要したと考えられていたが、実際には10〜11年で建造されたことが示唆された。

このピラミッドの内部の部屋はすべて地面より上に位置しており、持送り構造の天井を持つ2室の前室と玄室の計3室が発見されている。部屋の位置は、これまで見てきたように、王と王墓であるピラミッドがこの時代に太陽の象徴として見なされるようになったことを反映しているのだろう。事実、このピラミッドの古代名は「スネフェルは輝く」だった。玄室は後代に激しい略奪を受け、床面も剥がされているが、頭蓋骨が発見されており、脳が除去され、なかに樹脂が注入された痕跡がある。ただ、これがスネフェル王自身であるのかはわかっていない。

このピラミッド複合体はほとんど残っていない。おそらく河岸神殿が作られたはずだが、発掘されておらず、参道は作られることはなかったようだ。これは王の死によって、慌ただしく終わらせたことを示していると考えられている。ピラミッドの東に位置する葬祭神殿は、これまでのものと比べると、構造が発展しており、中庭や植物が植えられた丸い穴、そして偽扉がおさめられた礼拝堂も作られた。非常に興味深いことに、この付近から、ピラミッドの頂上部に設置してあった「ピラミディオン」の破片が発見された。現在これは、古代とは異なるが、葬祭神殿の中心に展示されるように置かれている。

上／ピラミッドの頂上部の笠石である「ピラミディオン」。
下／赤ピラミッドの玄室内部。略奪により床面が消失してしまっている。

「落書き」のように見える文字
しかし、この筆記体の文は
当時の調査を示す貴重な記録——

上／赤ピラミッドから発見された落
書きの1つ。化粧板のものではないが、
当時のようすを知る貴重な記録だ。
下／中王国時代の模型。畜牛頭数調査
の様子を再現している。

セイラの小型ピラミッド

Small mysterious
pyramid

高さ7mに満たないが、
王族への崇敬を集めるためのシンボルとして、
重要な役割を果たした。そして、のちの
巨大なピラミッド建造の原動力にもなったのである。

「王のシンボル」は
巨大なピラミッドへの
布石としても──

セイラの小型のピラミッド。同じ規模のものが7つ、上エジプト地方に建てられた。

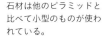

セイラの小型ピラミッドの平面図
高さ6.8m、基盤底辺25m小規模で
あることが特徴の1つ。
（Lesko, L. H 1988, p.233一部改変）

石材は他のピラミッドと
比べて小型のものが使わ
れている。

ピラミッド建造の絶頂期となる第4王朝が始まる頃、上エジプト地方に、ミステリアスな7つの小型の階段ピラミッドが建てられた（下エジプトでは、現在、1つも見つかっていない）。これらのピラミッドは埋葬場所や下部構造がないことから、カルト・ピラミッドとも呼ばれており、そのほとんどは、スネフェル王の父であるフニ王が建てさせたものだと考えられている。しかし、1基だけスネフェル自身が建造したものがある。それがセイラのピラミッドだ。

　このピラミッドは、メイドゥムのピラミッドの西側に位置する砂漠の高台に建造された。高さは6.8m、基盤底辺は25ｍと小型である。

　7つの場所は、いずれも古代の州都である。これを考えると、この小さなピラミッドは中央集権化を狙って王の力のシンボルとして建造し、そこで王族崇拝を行わせつつ、地方経済を国家経済に組み込ませるシステムを作り上げたのだと考えられている。そして、このシステムこそ、最終的に、巨大なピラミッド群の建造を可能にさせた原動力にもなったのである。

　これまでの古王国時代のピラミッド研究は、ピラミッドが実際に建造されたメンフィス地方にばかりが焦点に当たっていた。しかし、現在は建造技術だけではなく、当時、国家としてどのような体制の中で、ピラミッドが建てられたのかという包括的な見方についての研究が進んでいる。続くギザの章でも見ていくように、クフ王の時代に遡る東方砂漠から見つかった最古のパピルス文書や、スエズ湾の港の造営、シナイ半島からの銅やトルコ石を得るためのルートの開拓、西方砂漠の『ジェドフラー王の水の山』から採れる鉱物の確保、レバノンからの杉やオリーブの輸入、そして最終的に、それら全てが集まる「ピラミッド・タウン」からの出土物によって、この時代の人間や物資の大きな流れ、いわゆる「王の道」のようなネットワークが分かりつつあるのである。

クフ王のピラミッド

Khufu Pyramid

ピラミッドの建造場所の選定

Construction site
selection

間違いなく世界で最もよく知られる
「ピラミッド」であるギザの大ピラミッド。
しかし近年に至っても、様々な調査によって、
新しい発見がある。

クフ王の王墓である大ピラミッドは、現代の首都カイロの中心地から約20km西南に位置するギザ台地に建てられた。紀元前2500年頃の当時、王墓をこの場所に建てるという選定は、誰が、どのようにして行ったのだろう？

ここ四半世紀の発掘調査によって、三大ピラミッドが建つギザ台地は、王墓や貴族の墓、葬祭に関わる神殿が建ち並ぶネクロポリス（「死者の都市」の意）であっただけでなく、貴族や労働者の住居、さらには王族が住む王宮も存在した「生きている人たちの都市」でもあったと考えられている。つまり、そこは王が政を行ういわゆる首都だったのだ。そのためギザ台地を選んだ理由は、そこが政治的に重要な拠点であり、宗教的にも意味があり、さらにピラミッドの建材である、石灰岩が豊富に採れる土木的にも有利な場所だったからだと考えられる。加えて、過去にはクフ王の父親である先王スネフェルが、自らのピラミッドを建造する際、ダフシュールの地盤沈下に苦しめられたために、基礎がしっかりしていたことも建造場所に選ばれた理由として挙げられるだろう。

おそらくクフ王自身と、〈王のすべての建造物の

「南の丘」に立つクフ王や廷臣たち。建造場所は政治的な観点、宗教観および健在の運搬などから選定された。

監督官〉の称号を持つ宰相ヘムイウヌ、そして廷臣たちが、ギザ台地を選んだ。

当時、レバノンなどの地中海沿岸の地域との交易も盛んになってきたため、それまで首都であった南のメイドゥムから、さらに北に位置するギザに王宮を移すことは、地政学的にも理に適っていた。宗教的にも、太陽信仰発祥の地であるナイル川東にあるヘリオポリスとギザは、ピラミッドを

基準にして、ちょうど対角線上に繋がる位置にもなっており、両者の繋がりが示されている。

そして最も重要なことは、ギザ台地は東西に2.2km、南北に1.1kmに広がる巨大な石灰岩の層からなっており、そこは石切場としてだけでなく、ピラミッドの基盤としても適した地形だったことである。ピラミッドは砂漠の砂地ではなく、石灰岩の堅固な堆積層の上に建てられたのだ。これは始新世時代

ギザとヘリオポリスの位置関係を示した図

ピラミッド、ピラミッドタウンとその周辺の当時の
様子は発掘調査により徐々に明らかになってきた。

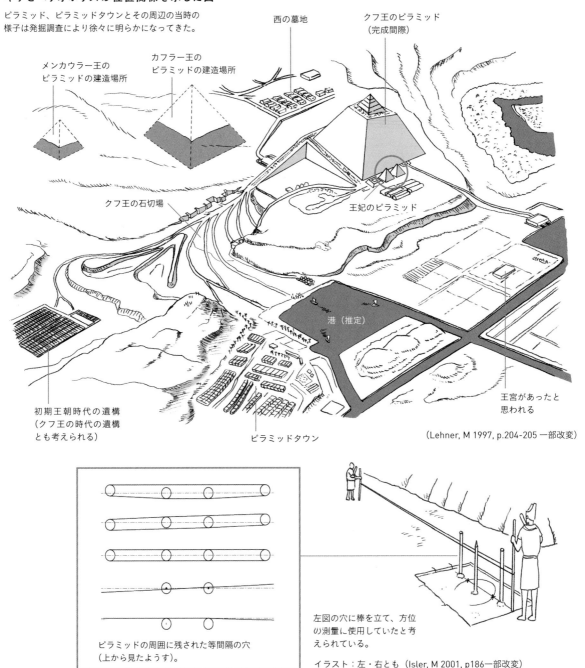

西の墓地

クフ王のピラミッド
（完成間際）

メンカウラー王の
ピラミッドの建造場所

カフラー王の
ピラミッドの建造場所

クフ王の石切場

王妃のピラミッド

港（推定）

初期王朝時代の遺構
（クフ王の時代の遺構
とも考えられる）

ピラミッドタウン

王宮があったと
思われる

(Lehner, M 1997, p.204-205 一部改変)

ピラミッドの周囲に残された等間隔の穴
（上から見たようす）。

左図の穴に棒を立て、方位
の測量に使用していたと考
えられている。

イラスト：左・右とも（Isler, M 2001, p186一部改変）

に堆積したモカッタム層と呼ばれている。

　ただ、この場所を見つけたのは、彼が初めてで
はない。1900年代初頭に行われた考古学調査によ
れば、ギザ台地には、初期王朝時代（紀元前2900
〜2545年頃）のマスタバ墳墓の他、小規模ながら
当時の集落もあったことが判明している。巨大な
ピラミッド建造に適した場所を探す中で、クフ王

の廷臣たちは当然、祖先の痕跡も辿っていったの
だろう。

　ピラミッド建造は、ただ建材となる石灰岩を切
り出し、上に向かって運べばよいというものでは
ない。街を作り、人々を組織し、様々な配給を定
め、エジプト国内や海外からの物資を運ぶための
港や運河を造り、人々が動く経路も定める国家プ
ロジェクトだ。それが、これまで造ったことのな

ピラミッドから見つかった偉大な王の小さな彫像

アビドス出土のクフ王の彫像。ピラミッドの規模に比べ、発見されているのは7センチほどの小さな象牙製の座像である。

い規模で行われ、技術的にも様々な初めての試みがあるとき、彼らはどんな興奮やあるいは恐れをもっていたのだろうか？当時の彼らの心情が書かれた文書は発見されておらず、現在入手可能な考古学のデータからもそれを知るすべはない。

モカッタム層のすぐ南には、ギザ台地を一望できる「南の丘」と呼ばれるマアディ層という粘土質の地層があり、そこは、おそらくクフ王と廷臣たちがピラミッド建造の計画を練った場所ではないかと想像されている。この場所は、ちょうどクフ王のピラミッドの基盤と同じ標高であり、ここからはピラミッド建造に関わる全ての要素が一望できる。すなわち、ピラミッド、ピラミッド複合体、マスタバ墳墓群、石切場、人々が通る経路、そして古代の居住地である。ここに立つと、古代の王たちの心情に思いが馳せる。

紅海の港と
最古のパピルス文書

Red Sea harbor
and oldest papyrus document

ピラミッドを建てるために必要な素材は、
さまざまな地方から集められた。
当時の様子を描いた記録は
最古のパピルス文書に記されている。

ワディ・エル＝ジャラフ港のそばの営舎跡。遠景には紅海が見える。

ピラミッド建造はギザ台地だけでは完結しない。石材だけでもギザのモカッタム層から採石される石灰岩だけでは、質的に足りなく、ピラミッドの表面を飾る良質な白い化粧板は、対岸のトゥーラという石切場から採石しなければならなかった。ピラミッド内部や周囲の神殿で用いられる黒い玄武岩や赤い花崗岩もギザ近郊では採れず、約62km南西に向かったファイユーム地方のワディ・エル＝ファラスや、約680km離れたアスワン、さらに最も硬い石のひとつである深い緑色の片麻岩は、約800km南のヌビア地方の砂漠の奥のジェベル・エル＝アスルという石切場でしか採れなかった。古代エジプト人は、遠征隊を組んで、ナイル川を上流に遡り、砂漠を踏査し、貴重な石材を探し求めていった。

近年紅海沿岸の遺跡ワディ・エル＝ジャラフで発見された、「メレルの日誌」と呼ばれるエジプト最古のパピルス文書には、クフ王の時代に生きたメレルという監督官と彼の部下たち（水兵であり石を切り出し運搬する作業員）の活動が描かれている。その文書によれば、トゥーラの石切場とギザ台地を、メレルたちはナイル川の運河を通って、何度も行き来し、良質な石材を運んでいた。運河の途中には、「ため池」（おそらく港的な施設）があり、そこに堤防を築いたり、泊まったりしていたようである。

メレルたちはさらにギザから東のシナイ半島に向かい、そこで銅やトルコ石も産出している。銅は4500年前当時最強の金属だった。鉄はまだ、空から降ってくる隕鉄という希少な鉱物からしか得られず、錫を含んだ合金である青銅も貴重なため、埋葬品の一部を飾る金属としてのみ用いられていた。当時、エジプトで最も重要な銅の鉱床はシナイ半島にあった。ワディ・ナスブでは、大量の鉱滓の山が見つかっており、そこからだけで、おそらく100,000トンもの銅が産出されたと推測されている。ワディ・マガラでは、初期王朝から古王国時代の王たちが、そこに住んでいた砂漠の遊牧民であるベドウィンに対する牽制も込めて、岩に碑文やレリーフを刻んでいた。メレル達は、シナイ半島の鉱床からギザ台地までの陸路で300kmの距離を移動するだけではなく、航海技術を発達させ、紅海を横切り、シナイ半島までのショートカットを作り出した。

ワディ・エル＝ジャラフ港付近から紅海を臨む。手前からはクフ王朝時代に使われていた波止場が海中へと続いている。

エジプト国内に残るクフ王の痕跡

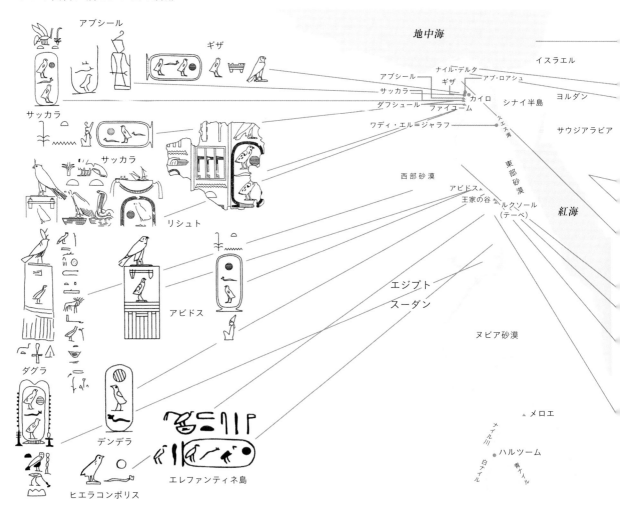

アブシール

ギザ

地中海

イスラエル

アブシール
サッカラ
ダフシュール
ワディ・エル＝ジャラフ

ナイル・デルタ
ギザ
ファイユーム
カイロ

アブ・ロアシュ

ヨルダン

シナイ半島

サウジアラビア

サッカラ

サッカラ

リシュト

西部砂漠

アビドス
王家の谷
ルクソール
（テーベ）

東部砂漠

紅海

アビドス

ダグラ

デンデラ

エレファンティネ島

ヒエラコンポリス

エジプト

スーダン

ヌビア砂漠

メロエ

ハルツーム

「メレルの日誌」と呼ばれるエジプト最古のパピルス文書。メレル
はクフ王朝の時代、ピラミッド建造に関わった監督官の名である。

レバノン

タニス

ブト

ワディ・マラガ

ブバスティス

ハトヌブ

ワディ・ハママート

ル＝カブ

コプトス

（Haase, M 2004, p.11一部改変）

上／ワディ・エル＝ジャラフ遺跡。ここで石の切り出しや運搬を記したパピルスが発見されている。船を隠す穴の入り口は岩でふさいでいる。
中／メレルの日誌が発見された場所。
下／この倉庫に解体された船が隠された。

ピラミッド建造に
不可欠だった
国内外への遠征、開拓精神

彼らが銅を必要としたのは、玄武岩や花崗岩を銅製のノミやノコギリで加工するためだ。実際、銅だけでは、こういった火成岩性の硬い石を切り出すことはできないが、砂を研磨剤にすることで、加工することができる。しかし、銅はすぐに摩耗しなくなってしまうため、大量に必要だった。

ピラミッド建造のためにエジプト人が遠征したのは国内の辺境だけでなく、北のレバノンや南のスーダンにまで足を伸ばしている。レバノンから

は、有名なレバノン杉を伐採して当時の王権の象徴的な乗り物でもあった船を作り、さらにオリーブなども輸入した。ヌビアには、ナイル川を遡り、途中の急湍（カタラクト）を超え、銅や黄金を求めて遠征した。

巨視的な目で見るとピラミッド建造成功に関わる重要な要素は、このような開拓の精神が関わっていたのである。

巨石の運搬と傾斜路

Megalith transport
and ramps

クフ王のピラミッドに
使用されている石材は、
それぞれの大きさが変則的に異なる。
その理由は……?

クフ王の大ピラミッドは、建設当初高さ約146.6m、底辺の長さ230 m、傾斜角度約51°50' であり、石材の総量は265万㎥だと推定されている。現在は、かつて表面を覆っていた良質な化粧板と呼ばれる石材が剥落し、頂上部も失われている。表面に露出している石の段を数えると、クフ王のピラミッドは202段現存しているのが分かる。石材の数は230万個という概算がでているが、高さだけでも約48cmから150cmの間でばらつきが

あり、さらに内部には砂や瓦礫なども入っていることも判明しているため、実際のところは分からない。石の大きさも底辺に使われているものが最も高く、上に行くにしたがって低くなっている。しかし、不思議なことに35段目あたりでまた高くなり、そこから低くなり、また60段目後半で高く、低くなっていくと思うと、また90段目前半で高く、100段前後、120段前後でもまた高くなる。この奇妙な作りは、おそらく、構造上の問題というより、

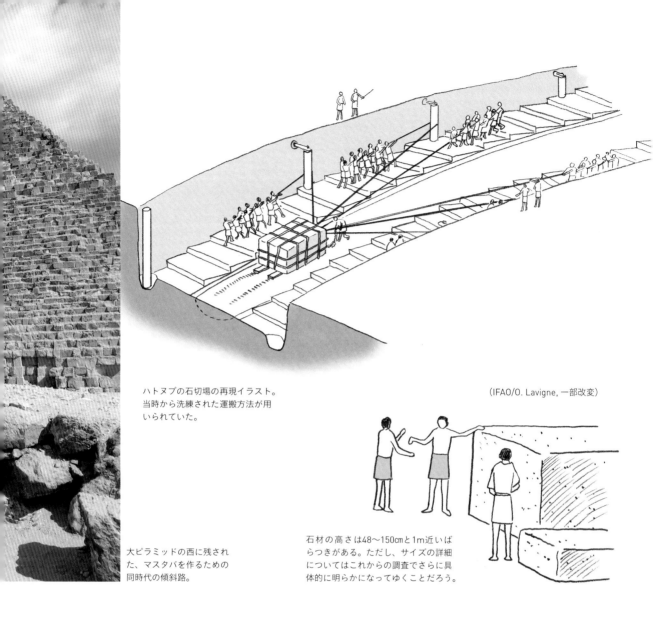

ハトヌプの石切場の再現イラスト。当時から洗練された運搬方法が用いられていた。

(IFAO/O. Lavigne, 一部改変)

大ピラミッドの西に残された、マスタバを作るための同時代の傾斜路。

石材の高さは48〜150cmと1m近いばらつきがある。ただし、サイズの詳細についてはこれからの調査でさらに具体的に明らかになってゆくことだろう。

石灰岩の石切場の各層の「厚さ」に関わっているのだろう。内部には、アスワンから運ばれてきた巨大な花崗岩の石材が玄室の梁として使われており、その大きさは50〜60tもの重さがある。古代人はこういった大量の、そして重い石をどのようにして上まで持ちあげたのだろうか?

考古学的に残っている証拠から、石材はそりに載せられ、傾斜路でロープを引いて運ばれたと考えられている。傾斜路の形状や角度にはいくつかの説があるが、石切場から直線的にピラミッドまで続き、途中からピラミッドに巻き付くようにら

せん状になったのだろう。さらに、近年、エジプシャン・アラバスターとして知られる美しい乳白色の石材が産出されるハトヌブという石切場で、クフ王の時代の傾斜路が発見された。これにより、古代エジプト人が様々な工夫を凝らして、石を運び上げたことが判明した。発見された傾斜路は20°以上と、巨大な石を運ぶには急すぎる勾配だが、石を引くための足場として左右に階段が設けられている。さらにいくつもの柱の穴が、等間隔に開けられ、そこに木製の支柱にロープを巻き付ける方法で、石材を運び上げたのだった。

石灰岩の採石方法

How to
quarry limestone

石材の切り出しは、
実際どのように行われたのだろうか。
実験考古学による石灰岩切り出しの
エピソードを紹介しよう。

ピラミッド建造において最も使われた石材は石灰岩である。その採石に関する知識は限られているが、ギザ台地にいくつか残っている採石跡—例えば、クフ王の時代でいえば、大ピラミッドの内部の地下の未完成の部屋—と実験考古学により、様々なことが分かりつつある。

石の切り出しは、まず地面に向かって垂直に幅50cm以上の溝を掘ることから始まった。溝の幅が広いのは、この時代の技術では大型の硬い金属の道具の生産がまだ不可能であり、銅製の小さな道具であるノミと木槌そして石器を手に持って、溝の中に入りながら、掘り込んでいく作業が必要だったためである。なお、これが後のローマ時代になると、長くて耐久性のある道具の開発により、溝の幅がどんどん狭くなり、無駄に掘る必要は無くなった。

次に、石材の水平下面を切り離す必要があったが、堆積岩である石灰岩には裂け目の方向がありそれを利用するために、ある程度溝を掘り込んだところでテコの原理、あるいは大きめの木材を溝に押し込むことで分離させた。特にギザ台地では、

石灰岩層に、柔らかいマール（泥灰土）層が一定の間隔で堆積しているため、そこを掘れば容易に切り出すことができたのである。前項で示した、ピラミッドの石材の高さの違いは、おそらくこのマール層の堆積分布に関わっている。

さらに古代の作業者は水を用いて効率性を上げた。岩石に含まれる塩分の濃度で、石の硬さは異なるため、溝に水を注ぎ、石に吸収させることで、塩を溶解し石を柔らかくして切り出したのである。ワディ・エル＝ジャラフで行われたフランスの実験考古学では、乾いた石に比べて約6倍の速さで切り出すことができたという。

さらに面白いのは、約1:1以上の比率、つまり採石された石の量と同じ量の廃棄物がでるということである。石灰岩の膨張係数が約1.5であることを考慮すると、ピラミッド建設のためにギザ台地で200万㎥が採掘されたと推定した場合、300万㎥近くの瓦礫をなんらかの形で処分しなければならなかったはずである。これらの瓦礫は間違いなく、傾斜路などの足場を作るための利用可能な建材として用いられたと考えられる。

押し込む方法

ピラミッドの時代

ローマの時代

現代

溝に木材を押し込み、石材を切り離す。下面を水平に切り出すために考えられた工法だ。

当時の土木技術の
粋を極めた石材の切り出しと加工

石を切り出す実験考古学。当時と同じ
と思われる工法で実際に可能かどうか
を試す。

ピラミッド複合体と船

Pyramid complex
and ship

ピラミッド建設にも
重要な役割を果たしたナイル川。
この大河はまた、当時の人々の
交通にも深く関わっていた。

クフ王のピラミッドは砂漠の奥にひっそりと孤立しているイメージがあるが、実際にはナイル川の緑地と砂漠の境界に建てられている。周囲には葬祭に関わる葬祭神殿、舟坑、周壁、参道、河岸神殿、衛星ピラミッドと様々な建造物が建てられており賑やかだ。これらは総称して「ピラミッド複合体」と呼ばれている。

古代では、水路が人や物が交通する通路であり、ナイル川からピラミッドに向かうには、運河を通ってアプローチしなければならなかった。まず到着するのがミイラ作りと関わった河岸神殿である。クフの河岸神殿は、一部の黒い玄武岩の建材だけが発見されており、大半はギザの町の下に埋まったままである。この神殿からピラミッドへは、約740mの長い参道を通って向かう。ピラミッドは巨大な石灰岩の台地の上に建っているため、その高低差は40m以上もある。参道の壁面は、後の時代に解体され、別のピラミッドの建材として用いられたが、発見されている断片によって、もともとは見事な浮き彫りによって覆われていたことが分かっている。参道はピラミッドの東に建てられた葬祭神殿へと繋がる。現在は玄武岩の床面しか残っていないが、天井のない大広間で、その周りは花崗岩の柱に囲まれていた。それまでの小規模な葬祭神殿に比べると、規模は格段に大きくなっている。ここでどのような葬儀が行われたのかは分かっていないが、おそらく王の永遠の宮殿としての象徴的な機能も果たしていた。葬祭神殿はピラミッド本体を囲む壁の一部になっていた。壁は、ト

ゥーラ産の良質な石灰岩で作れ、もとはおそらく8mの高さがあったと推測されている。

クフ王のピラミッドには5つの舟坑が発見されている。そのうち3つは舟の形状をしたもので、現在なかはからっぽである。これらはおそらく冥界を旅する、あるいは太陽神として乗るための象徴的な舟だと考えられている。残りの2つの舟坑は長方形の形状であり、なかには解体された木製の巨大な舟が発見されている。これら解体された舟は、実際にクフ王の葬儀の際に使用されたのだろう。古代エジプトにおいて、舟を解体する、組み立てるという行為自体は宗教的なものではなく、実用的なものであり、よく知られた習慣だった。復元された第一の舟の甲板にある天蓋には換気口がないが、葦のマットが天蓋を覆うように設定されている。そこに水を注ぐことで、気化熱を用いた天然の冷蔵庫のようにして、天蓋のなかを一定の温度に保ち、クフ王の遺体を冷やしていたのだろう。さらに、第一の舟には実用的なオールや帆はないが、近年、第二の舟からオールを固定するための部材が発見されたため、この舟が第一の舟を、大勢の人で漕いで引っ張る役割を果たしていたと分析された。

大ピラミッドの東側には3基の王妃たちのピラミッドと、クフ王のカァ（「生命力」とも訳される古代エジプトの概念）のために建てられた小型ピラミッド、そして王族たちのマスタバ墓が建てられている。そこはまさに王家のネクロポリスをなしていた。

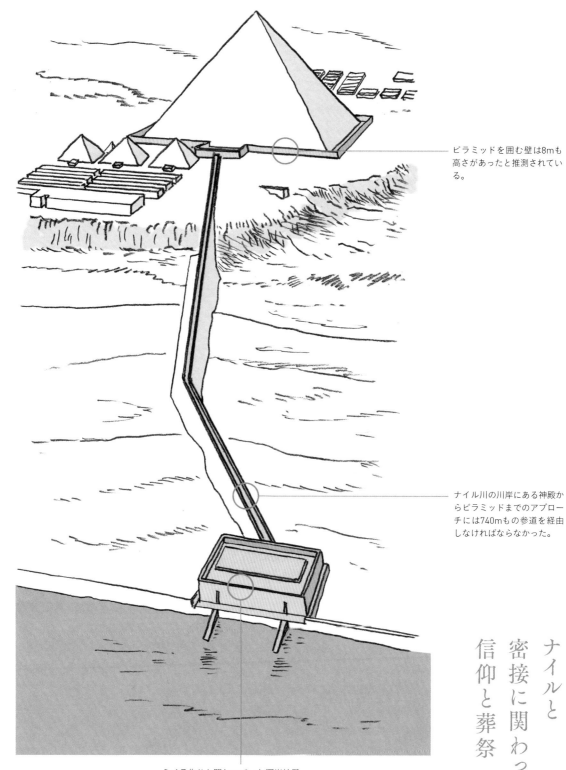

ピラミッドを囲む壁は8mも高さがあったと推測されている。

ナイル川の川岸にある神殿からピラミッドまでのアプローチには740mもの参道を経由しなければならなかった。

ミイラ作りと関わっていた河岸神殿。その詳細は明らかにされていないが、建材の一部には黒い玄武岩が使われていたようだ。

(Monnier, F. and D. Lightbody 2019, p.63―部改変)

ナイルと
密接に関わっていた
信仰と葬祭

大ピラミッドの内部構造と星辰信仰

The internal structure of
the Great Pyramid,
and the star worship

未だに数々の謎が解明されていない
ピラミッド内部。玄室を保護する部屋、
星座との関わりを持つ通気孔など、
少しずつ明らかにされてきた
構造の秘密をご紹介しよう。

大ピラミッドの内部構造は、それまでも、その後も類例のないユニークなものであり、当時間違いなく挑戦的な試みだった。先王スネフェルは、初めて地面より上に部屋や通路を設けたが、クフ王は部屋や通路を拡大し、複雑化した。部屋は現在3つ確認されている。下から「地下の間」、「王妃の間」、「王の間（玄室）」である。

　地下の間は、地上から30m下に位置し、未完成であり、作業者が石灰岩の岩盤を途中まで削った跡が残っている。未完の理由は、地下の間に続く「下降通路」が狭く、長すぎたためだと推測されている（幅1.05m、高さ1.2m、約105m）。傾

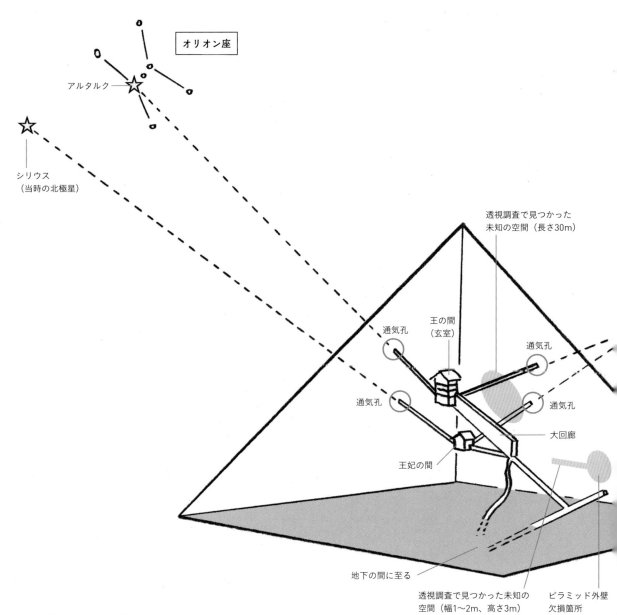

オリオン座

アルタルク

シリウス
（当時の北極星）

透視調査で見つかった
未知の空間（長さ30m）

通気孔

王の間
（玄室）

通気孔

通気孔

通気孔

大回廊

王妃の間

地下の間に至る

透視調査で見つかった未知の
空間（幅1〜2m、高さ3m）

ピラミッド外壁
欠損箇所

斜角度は26°あるため、上り下りするだけで大変な作業であり、これに地下で削った瓦礫を外に運ぶことを考慮すると、途方もなく時間が掛かったはずである。最終的に、この場所は放棄されたか、あるいは、その荒々しく未完成な状態を、冥界の洞窟を象徴する場所にしたとも考えられている。

王妃の間は、地上約30 mにある幅5.25 × 長さ5.75 mの白い良質な石灰岩で作られた美しい部屋だ。ここに王妃が埋葬された痕跡はなく、アラブの探検家がつけた俗称である。この部屋はおそらく、古代エジプト語でいうペル=トゥト〈影像の家〉であり、東面にある階段状の大きな壁龕〈へきがん〉にも

ともとは死者であるクフ王の影像が安置されたのだろう。部屋の北面と南面には「通気孔」と呼ばれる約20cm四方の小さな孔が外に向かってアンテナのように伸びており、4500年前のシリウスとこぐま座のコカブに焦点があたっている。しかし不思議なことに、それぞれの通気孔は、途中で銅製の取っ手のようなピンがついた石灰岩の栓が填められていることが分かっている。

玄室は、地上約43mに位置し、アスワン産の赤色花崗岩で作られている。幅5.24 × 長さ10.49mの長方形の部屋の奥には、やはり花崗岩で作られた棺がぽつんと置かれている。部屋には壁画や碑

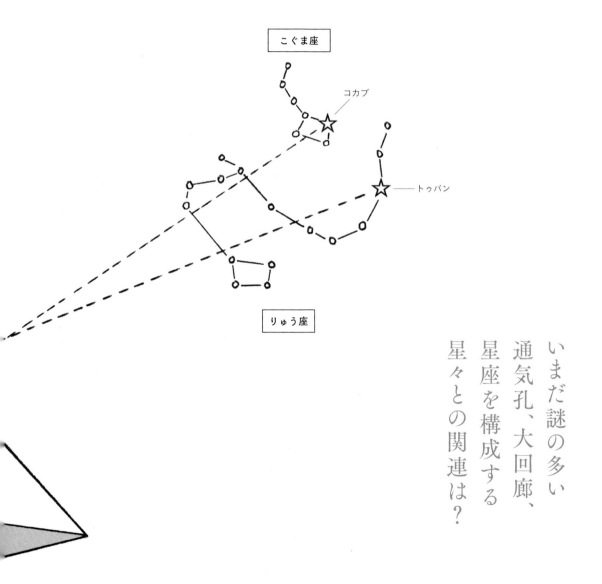

いまだ謎の多い通気孔、大回廊、星座を構成する星々との関連は？

玄室。壁面は赤色花崗岩で作られ
ており、王妃の間とは対照的に黒
ずんだ色をしている。

王妃の間。壁面が白く見える
のは、良質な石灰岩で作られ
ているためだ。

長い年月をかけて
明らかにされて来た
各室の構造と意図

最下部にある地下の間。

上昇通路から玄室へと続く大回廊。幅は
2.1m、高さ8.7mで天井部分が徐々に狭く
なる「持ち送り構造」が特徴。

文などは一切なく、簡素だが、重厚な作りになっており、さらに、なかでは音が反響するようになっている。王妃の間と同じく、南北の壁には「通気孔」が設けられており、それぞれオリオン座のベルトの三ツ星のひとつアルニタク、そして、この時代の北極星であるトゥバンに焦点があたっている。天井は、重さ50~60tの巨大な花崗岩の梁が載っており、その上には「重量拡散の間」と呼ばれる5つの天井の低い小部屋が櫓のように建てられている。これは、ピラミッド上部からの巨大な重量を拡散し、玄室を保護すると考えられている。

　大ピラミッド内部で最も謎めいているのは「大回廊」と呼ばれる空間である。エジプトで百基以上建造されたピラミッド群で、現在確認されている最大の空間だ。長さ46.7m、幅2.1m、高さ8.7m。天井が少しずつ狭くなる持送り式構造であり、玄

室に向かって26.6°の角度で傾斜しているため、吸い込まれるような雰囲気を持っている。その目的機能は、玄室の巨大な梁を運ぶためだとも、王のミイラを玄室に運ぶ葬儀に用いられたとも言われているが、解明されていない。

　さらに、近年、X線で人体を透視するように、先端技術である宇宙線ミューオンを用いたピラミッド内部の透視調査が行われ、場所は地上から60～70m付近、ちょうど大回廊の真上に、長さ30m、断面の大きさ（幅×高さ）が大回廊に匹敵する空間が発見された。これに加え、北面の入口の上にも幅1～2m、高さ1～3mの通路と思われる空間が発見された。ピラミッドには元来2つ入口があったのだろうか? 大ピラミッドの謎は未だ深まるばかりである。

4

カフラー王のピラミッド

Khafre Pyramid

Egypt > 4-1

カフラー王の選択
——ギザへの回帰

Selection of Khafre

クフ王のピラミッドが建つギザ台地だが、
王権交替とともに王墓の場所は移転する。
ところが、カフラー王の代になると再び
ギザがピラミッド建設の場所に選ばれた。

フ王の大ピラミッドが完成した後、ギザの
　　王墓建設には空白が生じた。次の王ラージ
ェドフはギザ台地ではなく、数km北に位置するア
ブ・ロアシュの高台に自らのピラミッドを建造し
た。彼がアブ・ロアシュを王墓建造場所と選定し
た背景には、当時台頭してきた太陽信仰の中心地
であった東のヘリオポリスとの位置が関わってい
ると考えられている。この時代から王権は太陽信
仰と深く関わるようになり、王族の名前の一部に
は太陽神ラーの名前が加わり（例えば、ラージェ
ドフとは〈太陽神ラーは不朽である〉の意）、さ
らに王達はサ・ラー「太陽の息子」という称号も
使い始めた。

　ラージェドフの兄弟であるカフラーが王位に就
いたとき、彼は自らの王墓の建造場所をギザに戻
した。彼は、太陽信仰と王家の葬祭儀礼を関連付
けることで、王権の強化を試みたのである。プロ
ジェクトを推進したのは、カフラーの宰相となっ
た叔父のアンクカフだった。彼はクフ王の兄弟、
すなわちスネフェル王の息子の一人だった。その
ため、スネフェル王が造営した4基のピラミッド、
クフ王の大ピラミッド、アブ・ロアシュのピラミ
ッドと一族が造りあげたすべてのピラミッドに関
わってきた老練な人物だった。

エジプトで最も硬い石のひとつである片麻岩製のカフラー王の座像。

クフ、カフラーと2つの巨大な
ピラミッドが並ぶギザ台地。カ
フラー王は自らのピラミッドこ
そを「大ピラミッド」と呼んだ。

一代の空白を経て
ピラミッドは再び
ギザの台地へ

彼らの計画は壮大なものだった。クフ王のピラミッドの南西に同等の大きさのピラミッド建造を命じ、2基の巨大なピラミッドを並べることで、エジプト史上、誰も見たことがない壮大な光景を作り出したのである。それは夏至になると、二つの巨大なピラミッドの間に太陽が沈むように設計され、ヒエログリフでアケト〈地平線〉を意味する言葉となった。砂漠の渓谷の間に沈む太陽は、冥界への入り口であり、そこは死者が最終的に変容する〈祝福された魂〉であるアクという存在になる場所でもあった。それは一年に一度しか見ることができない特別な「アケトの光景」と呼ぶことができるだろう。さらに、カフラー王のピラミッドとクフ王のピラミッドの南西―北東の対角線を24kmほど伸ばしていくと、ヘリオポリスに繋がるようにも設定した。

ピラミッド自体の基盤も慎重に選んでいる。カフラーの建設者は建造場所を、クフ王の基部より10mほど高い地面に設定し、さらにピラミッド自体の傾斜角度も若干急にすることで、高さを生み出した。ピラミッド自体の大きさを比較すると、その高さは143.5mと、クフ王のピラミッドの方が3mほど高く、底辺も215mと、15mほど小さい。しかし、完成したカフラー王のピラミッドは、海抜213.5mと、クフより7mほど高くなったのである。今日、「大ピラミッド」と言えばクフ王のピラミッドをさすが、カフラーは自らのピラミッドをウェル・カフラー〈カフラーは偉大なり〉（あるいは〈カフラーは巨大なり〉の意味）と名付けた。まり、彼は自らのピラミッドこそが「大ピラミッド」であると述べたのである。

東から昇る太陽に照らされる2基のピラミッド。

ピラミッドの町

Heit el-Ghurab site

ピラミッド建造の「現場」に関わる人々が暮らした場所、
それがピラミッドタウン。
太古の昔に生きた彼らとて物を食べ、休み、暮らしていた。
現在までにわかっている当時の様子をご紹介しよう。

ピラミッド建造という大プロジェクトを実施するために、まず作らなければならないものは、人々が住むための町である。かつて古代エジプトは「都市なき文明」と考えられていた。それは神殿に残された壮麗なレリーフや彫像、あるいは王墓に埋葬された財宝などに魅せられた考古学者たちが「芸術品」を求めて発掘し、結果、偏った情報が蓄積されたために生まれた説である。その後、古代エジプト語が解読され、宗教文書が翻訳されると、今度はそこに描かれた、ナイル川を挟んだ西には墓地しかなく、人々は東で生活していたという幻想的なイメージが一般的に知られる

ようになった。しかし実際には古代から人々は現実的だった。カフラー王と宰相アンクカフは、町をスフィンクスの南500mほどに造営した。

この町は、1989年、アメリカ人考古学者マーク・レーナー率いる国際チームによって発見された。ここは通称「ピラミッド・タウン」あるいは「失われたピラミッド・シティー」と呼ばれており、現在まで四半世紀に渡る発掘調査が続けられている。そこは前述のモカッタム層の底辺でもあり、港を設けて、ナイル川から続いていた運河に直結させていた。そのためピラミッド・タウンは港湾都市とも言える。町の広さは、判明しているだけで11ha。

ピラミッドタウンのレイアウト

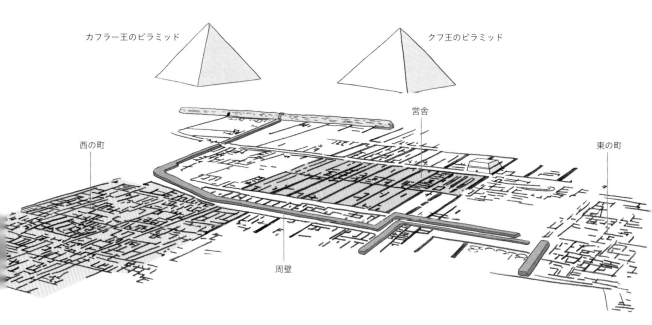

カフラー王のピラミッド　　クフ王のピラミッド

西の町　　営舎　　東の町

周壁

(Ancient Egypt Research Associates 2009, p.8-9一部改変)

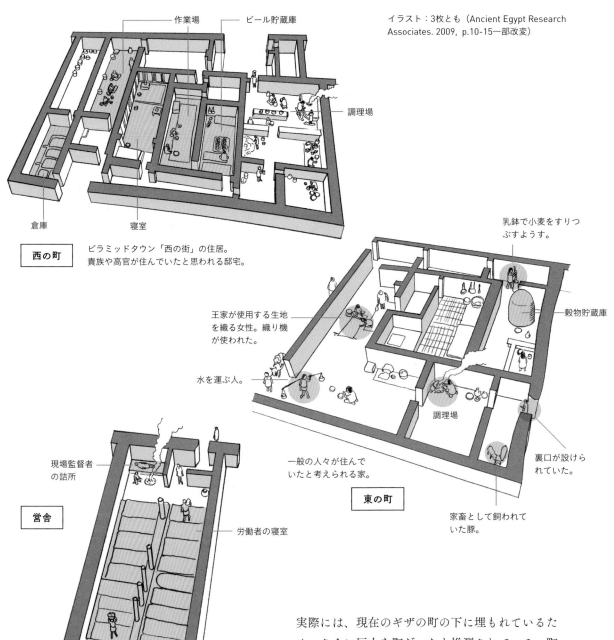

作業場　　　ビール貯蔵庫

イラスト：3枚とも（Ancient Egypt Research
Associates. 2009, p.10-15一部改変）

調理場

倉庫　　　寝室

西の町

ピラミッドタウン「西の街」の住居。
貴族や高官が住んでいたと思われる邸宅。

乳鉢で小麦をすりつ
ぶすようす。

王家が使用する生地
を織る女性。織り機
が使われた。

穀物貯蔵庫

水を運ぶ人。

現場監督者
の詰所

労働者の寝室

一般の人々が住んで
いたと考えられる家。

調理場

東の町

裏口が設けら
れていた。

営舎

現場監督者
の詰所

家畜として飼われて
いた豚。

調理場

ピラミッド建造に携わった人々が暮ら
していた営舎（ギャラリー）。長屋の
ような造りになっている。

実際には、現在のギザの町の下に埋もれているた
め、さらに巨大な町だったと推測されている。町
のなかは、いくつかの地区に分かれていた。一番
北には、ピラミッドと町を分ける、巨大な200mの
壁が立っていた。ただしこれは聖と俗を分ける境
界線ではなく、現在とは異なり、雨がもっと降っ
ており、数年に一度は砂漠から鉄砲水が押し寄せ
るような強い豪雨があったため（現代の私たちに
は想像しにくいが、ピラミッドは何度も雨に濡れ
ていた）、それを防ぐために設けられた壁であった。
　町の中心部は、1.5mの厚い堅牢な壁でできた
「営舎」のような建物だった。それは細長い建物が
連なった長屋のような作りで、ひとつの営舎は8~11

庶民、貴族、そして
営舎の日常は
果たしてどのような
ものだったか——

ピラミッド造営のスタッフ組織図

ピラミッド建造に携わった人々は、組織だったチームで作られていた。20人の小隊が10組で200人ごとの中隊に、さらにそれらが5組の大隊として1,000人にまとまり、総計2,000人のチームができていたと考えられる。

小隊20人

連隊2000人

「メンカウラーの友人たち」大隊 1000人

「メンカウラーの大酒飲みたち」大隊 1000人

| サァ中隊 200人 | サァ中隊 200人 | サァ中隊 200人 | サァ中隊 200人 | サァ中隊 200人 | サァ中隊 200人 | サァ中隊 200人 | サァ中隊 200人 | サァ中隊 200人 | サァ中隊 200人 |

軒の住戸からなり、それが4棟あった。規模から考えると、2000人近く収容できたはずだ。ここはおそらく、ピラミッド建造に用いる良質な石灰岩や硬い花崗岩、あるいは銅やトルコ石などを運搬する遠征隊が、一時的に寝泊まりする場所だった。

この営舎の南側には、2重の壁で囲まれた建物があり、なかには穀物庫が並んでいた。ここは「王家の政所」であり、物品の管理がなされていたと考えられる。

町の東側の地区は、小さな家屋が密集した「東の町」と呼ばれる。ここはさながら迷路のようになっており、いわゆる一般の人たちが住んでいた。町の反対の西側は「西の町」と呼ばれ、大きな邸

宅が何棟もあり、貴族が住んでいた。町の南の外れには、30 m×35 mの壁に囲まれた牛を飼うための牧場も設けられていた。

ピラミッド・タウンの生活は豊かだった。そこに住む人々には、円錐形をした巨大なパンが配給された。パン1つはなんと約9500 Kcalもあった。その他、ヤギや羊などの肉も配給され、固形燃料としては、貴重であったナイルアカシアの炭が大量に消費された。貴族らは砂漠で狩りを楽しみ、当時はまだ生息していたガゼルやハーテビーストなどを捕って食していた。さらに、配給される柔らかい仔牛の肉と大量のビールを飲み食いし、生活を謳歌していた。

新たな港と航海技術の発展

New port and development of
navigation technology

カフラー王の時代になり、航海技術がさらに発展する。
紅海の渡航ルートが変更となり、
他国との往来が盛んになるとともに
様々な物資の輸入が行われるようになっていった。

ピラミッドタウンで発掘された、レバノンの土器（アンフォラの土器）。オリーブオイルを入れて使用したと考えられる。レバノンとの交易は初期王朝時代（紀元前2900～2545）年には始まっていた。

カフラー王も父クフ同様、国内外に遠征隊を送り、銅やトルコ石や様々な鉱物、レバノンスギやオリーブなどを入手した。

シナイ半島の銅山に行くためには、クフ王が使っていた紅海沿岸のワディ・エル＝ジャラフ港ではなく、ギザ近郊にアイン・ソホナという別の港を新しく築いた。ワディ・エル＝ジャラフは祖父スネフェルの時代に開拓された港であり、当時王都であった南のメイドゥムからシナイ半島に移動するには最適な場所であり、スエズ湾を50km程舟で横断すればよいだけだった。しかし王墓建造に伴い、北のギザに都が移った後は紅海沿岸の港も北に移動させる必要があったため、ギザから西に125km程に位置するアイン・ソホナを開港したのだ。この港からシナイ半島の銅山のあるワディ・マラガまで110km程の船旅が必要だったが航海技術は飛躍的に発展しており、この港は「アフリカの角」に位置していたと思われるプント（後の古代エジプト人〈神の国〉と呼んだ）という地

域との交易拠点としても用いられたと考えられている。

北のレバノンとの交易は初期王朝時代（紀元前2900～2545年頃）には始まっており、祖父スネフェルの時代には大量のレバノン杉を輸入していた。カフラー王の時代にはさらにオリーブも輸入しており、ピラミッド・タウンからはレバノンからのアンフォラの壺（二つの取っ手がある首の長い運搬用の壺）の破片が発見されている。そこにはオリーブオイルが入れられており、梱包材としてオリーブの小枝が巻かれていたことも、炭の分析から判明している。

南のヌビア砂漠に位置するジェベル・エル＝アスルの石切場は、この時代に顕著に使われるようになり、「カフラーの石切場」として知られるようになった。カフラーの石切場ではエジプトで発見されている鉱物の中でも最も硬く、稀少である半透明な深緑の片麻岩も採れた。そして、この鉱物により王の彫像が造られている。

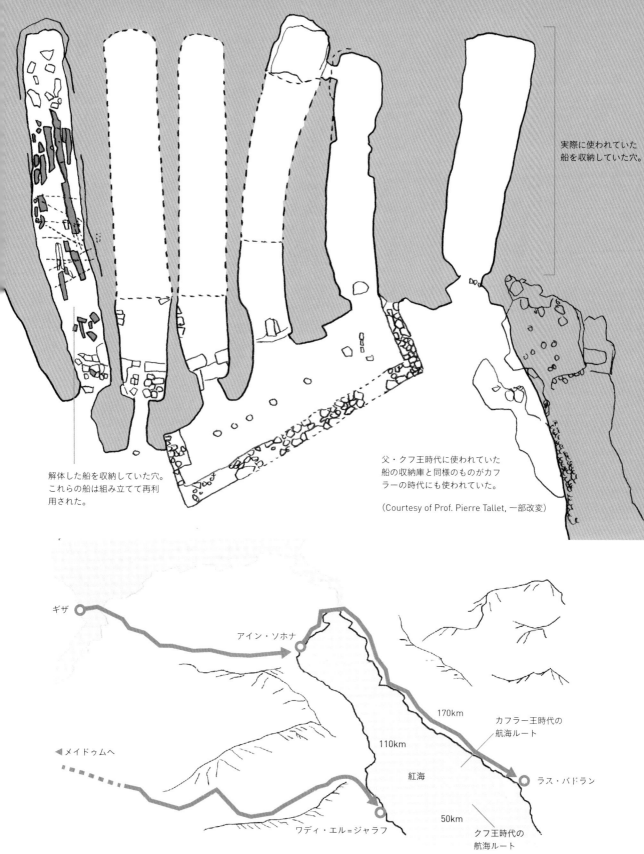

実際に使われていた
船を収納していた穴。

父・クフ王時代に使われていた
船の収納庫と同様のものがカフ
ラーの時代にも使われていた。

(Courtesy of Prof. Pierre Tallet, 一部改変)

解体した船を収納していた穴。
これらの船は組み立てて再利
用された。

ギザ

アイン・ソホナ

◀メイドゥムへ

170km

110km

カフラー王時代の
航海ルート

紅海

50km

ワディ・エル=ジャラフ

ラス・バドラン

クフ王時代の
航海ルート

ワディ・エル=ジャラフを経由した南回りの航海ルート（クフ王
朝時代の航海ルート）と、アイン・ソホナ経由の北回りの航海ルー
ト（カフラー王朝時代の航海ルート）。カフラー王の時代になり、
紅海東岸を経由した陸路のルートも使われるようになった。

ピラミッド複合体と王の葬儀

Khafre's
Pyramid Complex

死してなお神の世界へ。
そのための儀式が王を清め、
ミイラとして埋葬することだった。
その行程は比較的明らかになっている。

カフラー王のピラミッド、スフィンクスなどのピラミッド複合体。左奥はメンカウラー王のピラミッド。

河岸神殿の壁面は赤色花崗岩の石材が使われている。

河岸神殿の通路下からはカフラー王の座像が発掘された。現在、発掘跡の穴は格子で塞がれている。

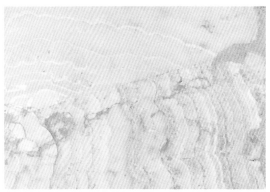

河岸神殿の通路はエジプシャン・アラバスター（トラバーチン）と呼ばれる半透明の石でできている。

カフラー王のピラミッドは現存している古王国時代のピラミッド群のなかで、最も保存状態の良いものの1つである。高さは143.5m、底辺の長さ215m、傾斜角度53°10'。頂上部にはいまだ良質な化粧板が残っており、そこからピラミッド本来の姿が想像できる。ピラミッド複合体も保存状態が良く、その全体像を把握することができる。

　古代において、人々は東から運河を通ってギザ台地にアプローチしたが、舟を停泊させた埠頭跡がいまもピラミッド複合体の入り口に残っている。現在はそのほとんどが砂と町の下に埋もれているが、ここは港の一部だった。埠頭からは長さ24m以上、幅約1.5mの2本の長い坂道が緩やかに河岸神殿に伸びている。

　神殿の前には王の遺体をミイラにした〈清めの天幕〉の跡が残っており、ここで亡くなったカフラーの遺体から内臓が取り出され、大後頭孔あるいは鼻腔から脳が除去された。この腐臭漂う血なまぐさい作業のために、神殿内ではなく、簡易式の天幕で作業は行われ、なおかつ清めるための水が必要なことから埠頭のすぐ側に建てられたのだ。次に遺体は香油で清められ、包帯を巻かれてミイラとなった。河岸神殿の北東には、日干しレンガのプラットフォームの跡が発見されているが、ここから王妃や子供たちがその葬祭の儀式を見ていたのかもしれない。

　次いでミイラは河岸神殿の中に運ばれた。この神殿にはエジプト全土から取り寄せた様々な石材が使われている。神殿の骨組みとなる全体は巨大な白い石灰岩であり、表面にはアスワン産の赤色花崗岩が張られた。床面は美しい乳白色のエジプシャン・アラバスターが敷かれ、そこに24時間を表す、深緑の片麻岩の王の座像群が設置された。ミイラは中央の広間に安置された後、おそらく273日間掛けて乾燥されたのである。

　その後、ミイラは495mの長さの参道を通り、「王の永遠の宮殿」と呼ばれた葬祭神殿に運ばれた。参道は土台以外失われているが、完成時には壁はレリーフで施され、天井には明かりとりがついていた。

　葬祭神殿も巨大な石灰岩で造られており、それは最大200tにも及ぶ。天井部は崩落しているが、レイアウトは残されている。その構造は後のピラミッド複合体の葬祭神殿で標準となる「5つの特徴」を持っていた。それは1.玄関、2.列柱広間、3.王像を安置する5つの壁龕（へきがん）の部屋、4.王像に捧げる供物を納める5つの倉庫、5.至聖所である。「5」がなにを示しているのかは明らかにされていないが、第5王朝のアブシールで発見されたパピルス文書によれば、5つの部屋のうち真ん中の部屋には、冥界の神であるオシリスの像が納められていた。それはおそらく、この時代に生まれた「死した王は冥界の神オシリスとなる」という信仰を表していたと考えられる。

河岸神殿の通路。

この時代のミイラは必ずしも仰向けにして作られることはなかった。遺体をミイラにするまでの期間は記録によれば273日間と推測されている。

死してなお
王は冥界の神になる
そのための儀式とは

未完の大作
——ギザのスフィンクス

Giza Sphinx

「スフィンクス」の名で知られる
半人半獣の彫像だが、
建造当時、なんと呼ばれていたのかは
明らかになっていない。
この像、そして神殿は未完成のまま
1000年放置された。

古代人にとっても
「奇妙な像」だった
人の頭と獣の
身体をもつ怪物

右／夏至の際に現れる「アケトの光景」。
2大ピラミッドとスフィンクスの上に太
陽が現れる。
下／カフラー王のピラミッドを守護する
ようにスフィンクスが鎮まる。

カ　フラー王は治世末期に、誰も見たこともない長さ72.55m、高さ20.22 mの巨大な人頭獣身の影像を作り始めた。その影像スフィンクスと、すぐ東に隣接するようにして、南北約52 m、東西約46 mのスフィンクス神殿を、自らのピラミッド複合体の最後の一角として造営した。

　現代の私たちにとって、ギザの大スフィンクスはピラミッドやツタンカーメンの黄金のマスクとともに古代エジプトを表す代表的なシンボルである。しかし4500年前の建造当時の人々にとって、それは極めて奇妙な影像だったに違いない。通常、古代エジプトの神々は、隼や山犬や羊の頭部と人の体を持っていたが、スフィンクスはネメスという頭巾を被った王の頭部とライオンの身体を持つハイブリッドだ。ネメスを被った影像の最古のものとしては、アブ・ロアシュから発見された、ほぼ同時代のジェドフラー王や彼の妻ヘテプヘレス2世の影像が知られている。しかし古代エジプト人にとってのプロトタイプは、石灰岩の岩盤を削って作りあげられたこの一枚岩の巨像だった。

　スフィンクスが建造された場所は、もともとピラミッドの石材を切り出す石切場であり、そこに残された岩塊を古代人は利用した。その場所は、位置的に、クフ王とカフラー王のピラミッドで作りあげた、夏至に見える「アケトの光景」の一部となり得る地点である。さらに、春分と秋分には真東から登る太陽と正対するようにもなっており、神殿の中心軸に沿って、太陽が運行し、カフラー王のピラミッドの南側に沈む光景が見えるようにもなっていた。

スフィンクスとスフィンクス神殿跡。いずれもカフラー王の治世末期に造営されたが、完成されなかった。

上／スフィンクスと神殿の周辺を示す3Dイメージ。スフィンクスは神殿を守護するように造られている。
左／スフィンクスと神殿周辺の俯瞰の3Dイメージ。神殿の中心軸はスフィンクスの南面に沿って、ピラミッドまで続いている。(Yasumasa Ichikawa/World Scan Project作成)

　不思議なことに、太陽の運行とそれぞれの建造物の位置を緻密に計算した建造プロジェクトだったのにも関わらず、このスフィンクスとスフィンクス神殿は未完に終わり、放置されてしまっている。神殿の床面はむき出しで完成しておらず、スフィンクスに関しては、建造当時、どのように呼ばれていたのかさえもわかっていない。現在知られているその名前は、ギリシアの神話にでてくる美しい女性の顔と胸、ライオンの体と鷲の翼を持つ怪物スピンクスからつけられたものだ。古王国時代には、各ピラミッドや神殿に仕えていたことを示す様々な称号や形容語句が知られているが、スフィンクスに関わるものは、実はひとつとして存在しない。カフラー王は、なぜスフィンクスの建造プロジェクトを放棄したのだろう？　彼が完成間際に亡くなったのか、それとも何か別の理由があるのか、現在でも謎のままである。

　スフィンクスの建造から1000年後の新王国時代（紀元前1539〜紀元前1077年頃）になると、スフィンクス信仰が始まった。当時のファラオたちは、埋もれていたスフィンクスを掘り出し、周囲に新たな建築物を寄進し、そこで戴冠の儀式を行い、そこからインスピレーションを得て、後に知られる巨像建造を勃興させたのである。

この巨像建造の突然の中断
その理由や詳細は
現在でも明らかになっていない

夢に出てきたスフィンクスの言葉により王位
を継承したとされる第18王朝・トトメス4世。
これを記念して建立されたのがスフィンクス
の足元に建つ「夢の碑文」だ。

冥界の神 オシリスと ピラミッド

The god of the underworld 'Osiris'
and the Pyramid

カフラー王のピラミッドの内部は、
父・クフ王のそれと比して
意外に単純な構造となっている。
とはいえ、その理由を含めて
明らかになっていないことは多い。

クフ王のピラミッド内部の複雑な構造に比べると、カフラー王のそれは祖父スネフェルと同じようなシンプルなものである。しかし特筆すべきは、その王墓に入口が二箇所設けられていることである。地表面に掘り込まれた「下の入口」と、基底部から11.5m上に設置された「上の入口」だ。それぞれ「上の下降通路」と「下の下降通路」としてピラミッド内部へと伸び、途中合流して1本の「水平通廊」となり、「玄室」へと続いている。

上の通路は赤色花崗岩で内張りされており、下の通路は石灰岩でつくられている。赤は下エジプト、白は上エジプトの象徴であることから、2つの通路は上下エジプトを表しているのかもしれない。あるいは続く第5王朝時代のピラミッド内部に刻まれた埋葬文書「ピラミッド・テキスト」にあるように、死した王のバー（魂）が一方の通路から玄室に入り、オシリスであるミイラと合一し、祝福された存在であるアクになり、もう一方の通路から

カフラー王のピラミッド内部、棺の安置されていた玄室。

北極星に向かうことを意図していたとも考えられる。興味深いのは、これまで見てきたように、近年の調査によってスネフェルやクフのピラミッドにもおそらく二箇所の入口が設けられていた可能性があることだ。

下の下降通路から水平通廊への向かう途中には、奥行き10.41m、幅3.12mの「副室」が右側に設けられている。天井が三角形の切妻式になっている以外、壁龕も通気口もない質素な部屋だが、ここに死した王の彫像、あるいは埋葬品が置かれていたと考えられている。

最奥のカフラー王の玄室は、地上と地下の境界線に建てられた。天井部分は地上より上であり、重量を分散させるために切妻構造になっている。それ以外は地下に掘り込まれた形である。玄室の位置が宗教性を表すのであれば、太陽神ラーと冥界神オシリスの境界に自らの埋葬室を設けたような形になる。

玄室の広さは、奥行き14.15m、幅5m、高さ6.83mある。南の壁一面に、イタリア語で「1818年3月2日　G.ベルツォーニによる発見」という落書きが書かれているが、彼が内部に入ったときには、すでに古代の盗掘者によってミイラや財宝は奪われてしまっていたために、ある種の腹いせに名前を書いたのだろう。

玄室に残っているのは、西の奥にある花崗岩の棺と2つに割れてしまった蓋のみである。ここにはもともと分厚い敷石が敷かれ、そこに埋め込まれるような形で、カフラー王の石棺が設置されていた。床面には四角い穴が掘り込まれているが、これはピラミッド内部に設けられた内蔵を納めるカノプスの容器の設置場所としては初めてのものだ。地表面に掘り込まれた入口、地面より下に設けられた玄室、そこからさらに床面に掘り込まれた石棺とカノプス容器、すべてはこの時代に台頭してきた冥界神オシリスが関わっているのだろうか。

上／カフラー王の棺。
下／下の下降通路

下の下降通路に設置された赤色花崗岩のふた。

5 メンカウラー王のピラミッド

Menkaure Pyramid

三大ピラミッドの完成

Completion of the
Three Great Pyramids

クフ、カフラーとならび「三大ピラミッド」と呼ばれる
メンカウラー王のピラミッドだが、
3つの中でもサイズは小さい。
その背景には建造場所との関わりがあった。

カフラーの息子であるメンカウラーは王墓建造をギザで継続した。その理由の1つは、町や港そして人々が往来する供給路など、すでにギザの社会基盤が整っており、ピラミッド複合体の建造自体に集中することができたためだろう。しかし、彼のピラミッドは先王たちのものと比べると小規模である。高さ約65m、底辺の長さ約105.5mと、基底部の面積は1/4ほどで、石材の総重量にいたってはわずか1/10ほどである。なぜ、このような大きさのピラミッドにしたのだろうか?

三大ピラミッドの集合体。夕刻にはひときわ
荘厳な姿となる。

ギザ台地の大半は、モカッタム層という始新世の時代に堆積した東西に2.2km、南北に1.1kmほど広がる浅海成石灰岩の岩盤である。建造物の大半は、この岩盤から建材を採石したものであり、ピラミッド自体も、この堅固な石灰岩の台地の上に建っている。しかしクフ、カフラーという巨大ピラミッドの後には、残された建造場所は南西の端っこしかなかった。小規模なスペースが、メンカウラー王のピラミッドの大きさを制限したのだろう。台地はここから南に向かって緩やかに傾斜しているが、それでも古代の建築家たちは、なるべく大きなピラミッドを築こうとし、東南東の低い斜面に5tから20tの重さの巨大な石灰岩の石材を敷いて基盤としている。さらにメンカウラー王の建設者たちは、クフ王とカフラー王のピラミッドで行ったように、隆起した岩盤を利用してピラミッドの土台の一部とすることで、建材を節約しようとした。

土地の制約はあったが、インフラストラクチャーを利用することができたこと、さらに重要なのは、クフとカフラーのピラミッドと、3つのピラミッドを並べることで、ギザに新たな光景を生み出すことができることにあった。それは地上にオリオンの3つ星を再現する、父王カフラーの「アケトの光景」同様に壮大な計画だった。

後の時代に、オリオンの3つ星は「サフ」と呼ばれ冥界の神であるオシリスと同一視されたため、この光景は「サフの光景」と言える。彼のピラミッドはネチェル・メンカウラー〈メンカウラーは神聖なり〉という古名を持つが、これはまさにこのピラミッドの建造によって、神聖なものを表現されたという意味だろう。そして、この雄大な景色は4500年経ったいまでも、「ギザの三大ピラミッド」として現代の我々を魅了している。

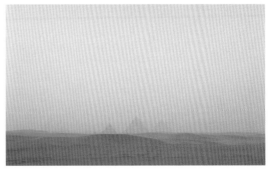

上／ギザの台地に3つのピラミッドが鎮まる光景を作り出すプロジェクトは、「アケトの光景」同様、壮大な計画だった。
下／砂に煙るギザの三大ピラミッド。

ピラミッドとゴミの山

Pottery mound in the
Pyramid Town

ピラミッド・タウンで暮らしていた人たちが廃棄したゴミ。
日本でいう貝塚だ。
そこからは、当時の様子を伝えてくれる
貴重な資料も見つかっている。

堆積の中から
貴重な文字資料さえも
見つかることがある

「土器の丘」と呼ばれるゴミ捨て場。「ゴミ」
とはいえこの中から様々に貴重な「暮らしの
跡」が見つかっている。

メンカウラー王の時代にも、人々は引き続き「ピラミッド・タウン」で暮らしていた。町は発展していたが、廃墟となる場所や、ゴミが捨てられ山のように堆積する場所もあった。

　ゴミの山は考古学者にとって宝の山である。それはギザのピラミッド建造に関わった人々の生活を赤裸々に語ってくれる情報の宝庫だ。この町で発見されたピラミッド時代のゴミ捨て場は「土器の丘」と呼ばれている。その名の通り土器片が堆積しているが、その60％がなんとビール壺である。それは高さ30～37cmほどの、細長い卵形の作りの粗い壺だ。古代においてビールは栄養価の高い飲み物である一方、アルコール度数は低く、どうやら飲みながらピラミッドを造っていたようである。

　動物の骨も大量に見つかっている。興味深いことに、それらは10カ所以下の仔牛の骨で、2歳以上のものは見つかっていない。一方でガゼルやハーテビースト、オリックス、アダックスといった野生の動物の骨がたくさん見つかっている。これらはおそらく狩りで得た獲物だったのだろう。

　さらにここからは大量の「封泥」が発見された。封泥とは、泥の密封材であり、現代だと高級な封筒やワインを密封するために用いる蝋である。古代エジプトでは、パピルス文書や箱や土器などに封印を施し、そこに王の名前や、持ち主の称号、あるいは内容物の生産場所などを記した。当然のことながら封泥は開けた際に壊されてゴミとなるが、文字資料として考古学的には非常に重要な遺物である。封泥が見つかった堆積状況を考えると、どうやらカフラーからメンカウラーに王位が移った際に、大量の物資がこの町に運び込まれたのだと推測できる。

　メンカウラー王の時代に残された碑文によれば、「王は、誰も仕事を強制されてはならず、皆が喜んで仕事をすることを望んでいる」と宣っていた。ピラミッド建造は、かつて信じられていたように奴隷によって無理矢理行われたのではなく、配給される豊かな食生活と、合理的な組織体系、そして神である王のために行うという人々のモチベーションに支えられた国家プロジェクトだった。そして、その一面を、ある種、臆面なく語ってくれるのが、古代のゴミなのである。

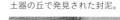
土器の丘で発見された封泥。

「西の町」の邸宅跡。「土器の丘」はこの邸宅のすぐ横にあった。

メンカウラー王のピラミッドの北
面。石材への転用を目的とした破
壊行為によりできた溝が、予期せ
ずして考古学上の貴重な知見を得
られる元となった。

ピラミッドの
階段状のコア構造

Stepped core structure of Pyramid

保存状態が非常に良いギザの三大
ピラミッド。しかし、これが仇となって
内部構造は長らくはっきりしなかった。
近年の3D調査によって
明らかになったその構造とは──。

メンカウラー王のピラミッドの大部分は、ギ
ザの他のピラミッド群と同様、現地の石切
場から切り出された石灰岩で作られている。表面
の化粧板はほとんどが失われているが、対岸のト
ゥーラで産出される良質な白い石灰岩が用いられ
た。しかし少なくとも下部の16段、ピラミッドの
高さ1/4までは硬質な赤色花崗岩で覆われていた。
これは明らかに石灰岩の化粧板より労力の掛かる
作業だったはずであり、実際、王の葬儀に間に合
わなかったのか、表面を完全に均すことができず
に、未完成に終わっている。

ピラミッドの北面には、1196年にイスラム時代
英雄サラーフ・アルディーンの息子が、建設用
石材を得るために、ピラミッドを解体しようとし
たときに開けた、縦方向の巨大な溝がある。歴史
の一面としての破壊行為ではあるが、実は、考古
学的には、そこはピラミッドの「組積造」が断面
図に示された希少な場所となっている。

組積造とは、石材を積み上げて造る建築物の構
造のことだ。古王国時代のピラミッドでは、単に
石材が水平に一段ずつ積み上げられたのではなく、
レイヤー状の構造やあるいは階段状のコアがある

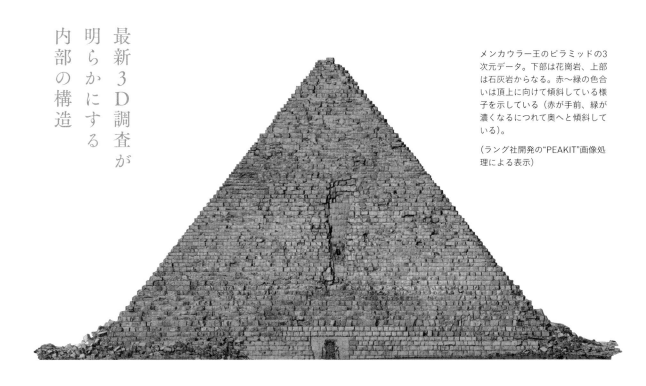

メンカウラー王のピラミッドの3次元データ。下部は花崗岩、上部は石灰岩からなる。赤〜緑の色合いは頂上に向けて傾斜している様子を示している（赤が手前、緑が濃くなるにつれて奥へと傾斜している）。

（ラング社開発の"PEAKIT"画像処理による表示）

と考えられている。しかし、ギザの三大ピラミッドは保存状態が極めて良いため、内部構造はよく分かっていなかった。

しかし、近年、私たちが行ったメンカウラー王の北面の溝の3D調査によって、内部に約74°の傾斜を持つコア構造があるのが判明した。これは、スネフェル王が造営したメイドゥムのピラミッドのむき出しになった階段状のコア構造と同じである。

メンカウラー王のピラミッドの傾斜角度は51°20' 25"だが、これはメイドゥムのピラミッドも、そしてクフ王の大ピラミッドもほぼ同じである。メンフィス地区に現存している80基程のピラミッドの傾斜角は、約42°から57°までと様々であるが、古代エジプト人は角度を考慮してピラミッドを建造したのではなかった。実際、角度という概念もなく、傾斜は水平距離と垂直距離を用いるセケド（勾配）で表した。言い換えれば、51.5°は目的ではなく、内部の組積造の水平距離と垂直距離の結果として生まれたものだったのである。つまり、これは大ピラミッドの内部構造も、メンカウラーやメイドゥムと同じく、約74°の傾斜を持つコア構造があることが示唆されているのである。

メンカウラー王のピラミッドとメイドゥムのピラミッドを合わせた模式図。傾斜角度や形状の違いがよくわかる。（Yasumasa Ichikawa/World Scan Project作成）

外壁を覆う化粧板。花崗岩からなる。

王宮ファサード装飾の施された部屋。

海底に沈んだ王の棺

Submerged royal coffin at the
bottom of the sea

メンカウラー王のピラミッド内部は、
他に見られない特徴的な構造が
数多く用いられている。
その詳細についてご紹介しよう。

左上／19世紀当時の玄室のようす。この当時はメンカウラー王の棺が残されていた。この後、ベアトリス号（船）でのイギリスへの輸送中に沈没、失われてしまった。
右上／玄室内部の現在の様子。
左下／副室。副葬品が収納されていた部屋。
右下／上部の通路。途中、巨大な石材で塞がれている。

　メンカウラー王のピラミッド内部は、クフ王やカフラー王のものとは違っていた。周極星と一体になるための北に向いた入り口や、王のミイラが安置される「玄室」はあったが、これまでにない建築要素がいくつも導入されている。

　花崗岩で覆われた入り口から、31mほど続く「下降通路」を降りると、「王宮ファサードが壁面に彫刻された部屋」に到着する。これはジェセル王の階段ピラミッド以来、装飾が施された初めての部屋である。王宮ファサードとは、文字通り、王宮のデザインを模倣したものであり、初期王朝時代から様々なところに装飾されてきた。ピラミッドがまさに死後の永遠の住まいであることを象徴的に示したものである。

　ここから「水平通路」を通って、東西方向に横たわる「前室」に到着する。先王たちのピラミッドの玄室の位置と方位を考えると、ここがもともとは玄室として使用される予定だったのだろう。

メンカウラー王のピラミッド内部

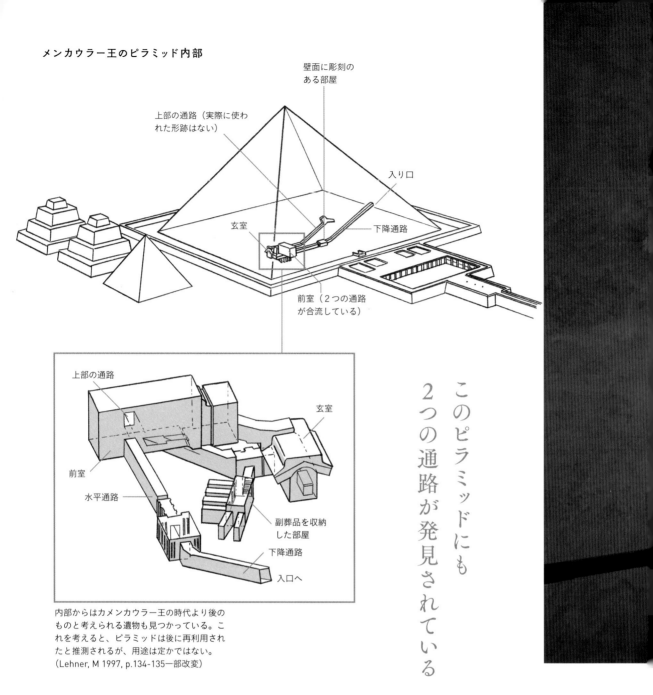

壁面に彫刻の
ある部屋

上部の通路（実際に使わ
れた形跡はない）

入り口

玄室

下降通路

前室（2つの通路
が合流している）

上部の通路

玄室

前室

水平通路

副葬品を収納
した部屋

下降通路

入口へ

内部からはカメンカウラー王の時代より後の
ものと考えられる遺物も見つかっている。こ
れを考えると、ピラミッドは後に再利用され
たと推測されるが、用途は定かではない。
（Lehner, M 1997, p.134-135一部改変）

このピラミッドにも
2つの通路が発見されている

興味深いのは、このピラミッドにも、カフラー王と同じように、ふたつの通路が北から降りてきており、それらがこの前室で合流しているところである（あるいは前室から北に向かっている）。もう1つの通路は、水平通路の入口の真上に位置している。高さから考えて、実際に人が使ったとは考えにくく、外まで繋がってもいない。さらに不思議なことにこの通路の途中は石材で塞がれている。研究者によっては、ピラミッド建造の初期計画では、この通路を用いる、もっと小型のピラミッドを造営しようとしていたと推測している。

この前室から、さらに別の2つの通路が北側に向かって掘り下げられており、それぞれが玄室に繋がっている。上の通路は、玄室の屋根の部分に繋がり、下の通路からなかに入ることができる。その下の通路の途中には、6つの小さな窪みがある部屋が設けてある。ここは王のカー〈生命力〉のために供物が納められたところかもしれない。

前室。カフラー王のピラミッドと同じように2つの通路がこの部屋でつながっている。

　玄室はクフ王のものと同じように花崗岩で造られているが、これまでの東西方向とは異なり、南北方向に横たわっている。石棺も19世紀に発見されているが、ベアトリス号（船）でイギリスに運ぶ途中に、船が沈み、失われてしまった。残された記録によれば、石棺には王宮ファサードが施され、玄室の西の壁に沿う形で、南北方向に置かれていた。これは、この時代のミイラがあおむけではなく、東から昇る太陽を見られるように横向き

に埋葬されたためである。この石棺にはメンカウラー王の名前が刻まれた木棺が入っており、これは現在、大英博物館に展示されている。しかしその様式は後のサイス朝時代（紀元前664–525年頃）のものだと分析されている。さらに玄室の天井からは、人骨や包帯も見つかっているが、放射性炭素年代測定によってキリスト教時代のものであることが判明している。これらの時代に、ピラミッドはなんらかの形で再利用されたのだろう。

住居となった
ピラミッドの神殿

Temple became
settlement

未完のまま現在に至るメンカウラー王の
ピラミッド複合体。多くの箇所で、
様々な事情により調査は進んでいないが、
一部については現在に至るまでの
歴史が明らかにされている。

かつて港があったメンカウラー王のピラミッド付近。ここは現在、墓地となっており発掘が進んでいない。

メンカウラー王のピラミッド複合体は未完性である。おそらく、これは王の予期せぬ逝去が原因だと考えられている。港は発見されておらず、河岸神殿の東側を含め、その場所には、現代のイスラム教徒の共同墓地があるため調査も行われていない。しかし、河岸神殿の大部分は、アメリカの考古学者ジョージ・ライスナーによって、精密な発掘調査が行われ、そのユニークな歴史の変遷が判明している。

河岸神殿は葬儀の行列が止まる場所であり、おそらくここで王の遺体が清められ、一定期間安置されたと考えられている。メンカウラー王の河岸神殿は、カフラー王のものとは異なり、入り口は

ひとつであり、屋根のない広い中庭が設置されていた。王のミイラは最奥の至聖所に置かれていたと思われるが、そのすぐ近くの通路から、古王国時代の彫像の最高傑作がいくつも発見されている。すべて黒い硬砂岩が磨かれてできたもので、メンカウラー王と愛と美の女神ハトホル、あるいは州の神が表現されている。王は、筋肉質で、繊細かつ潜在的な力強さを感じさせ、女神は肩幅の狭いスリムな、エジプトの理想的な女性らしさが表現されている。素晴らしい像ではあるが、いくつかの像の足下には、刻まれるはずのヒエログリフの欠如しており、一部磨き残しなども見つかっている。これもメンカウラー王の突然の死を示唆して

メンカウラー王と2人の女神（ハトホル、バト）の胸像。

発見当時の「聖なるスラム」のようす。未完成だった神殿は住居として使われるうち、実用化のためにいくつもの壁で仕切られた。

いるのだろう。

　この未完成の神殿は、続くシェプセスカフ王によって、プラスターと日干し煉瓦を用いて完成されたが、続く第5王朝の終わりから第6王朝にかけて、降水の急流が砂漠に流れ落ち、至聖所や供物室を破壊したため、放棄された。しかし興味深いことに、第6王朝末期のメルエンラー王やペピ2世の時代に、神殿はなんと住居として再利用され、入り組み、過密化していった。そのためここは「聖なるスラム」とも呼ばれている。

　参道も未完成である。完成していれば、608mの直線のものになったと推定されているが、実際には、河岸神殿と葬祭神殿を連結することはなく、ク

フ王やカフラー王の参道のように、装飾された壁があったという証拠も発見されていない。王の葬儀の行列は、屋根もない未完のままの参道を、通ったのだろうか。

　葬祭神殿のでは、200tを超える、ギザで使用された最も重い石灰岩がコアの建造に用いられ、その上にアスワン産の花崗岩で全体を覆おうとしていたが、ここでもその壮大な建設工事計画は中断してしまった。最終的には、シェプセスカフ王によって、日干し煉瓦とプラスターで神殿は完成されたようである。

Teotihuaca

テオティワカン編

メソアメリカに7世紀頃まで巨大な都市があった。アメリカ大陸最大規模の都市であったテオティワカン、その中心は太陽のピラミッド、月のピラミッド、羽毛の生えた蛇神殿という3つの巨大な石造建築だったのである。

著／佐藤悦夫

計画的に作られた都市、テオティワカン

Teotihuacan >1

Planned city
'Teotihuacan'

紀元前2世紀。現在から遠く古代のこの時代に、栄華を極めた都市の建設がアメリカ大陸で進められていた。その中心が月のピラミッドであった。

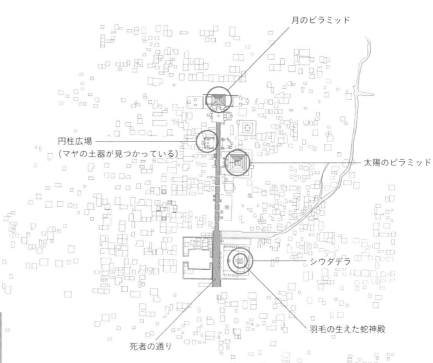

テオティワカン遺跡の都市全体の地図

(Millon 1973, 一部改変)。

月のピラミッド

円柱広場
（マヤの土器が見つかっている）

太陽のピラミッド

シウダデラ

羽毛の生えた蛇神殿

死者の通り

「月のピラミッド」からのパノラマ、「月の広場」や南側に伸びる「死者の通り」を望む。「死者の通り」の東側に太陽のピラミッドが見える。

独特の様式をもつ都市部の建造物群

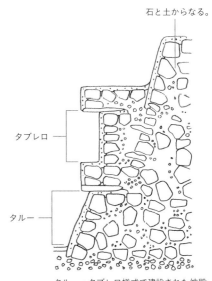

石と土からなる。

タブレロ

タルー

タルー・タブレロ様式で建設された神殿壁面の断面図。垂直の壁と斜めの壁を組み合わせた様式が特徴（Schele, Linda and David Fredel 1990, 一部改変）。

都市の中心部分

「月のピラミッド」から南側に「死者の通り」が伸びる。
通りの東側に太陽のピラミッド、シウダデラが作られた。
シウダデラの中央部に「羽毛の生えた蛇神殿」が建てられた。

月のピラミッド

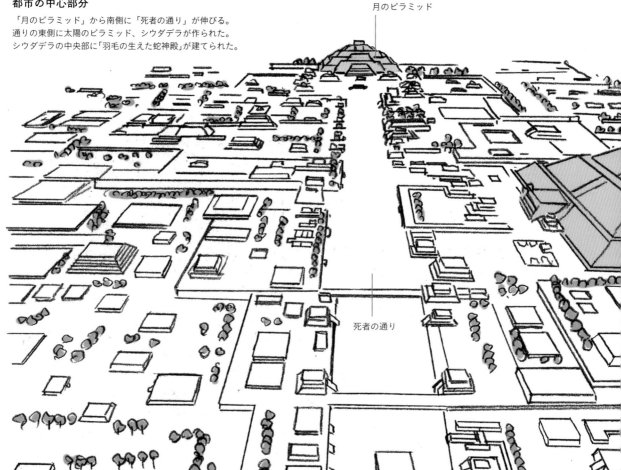

死者の通り

この先に「シウダデラ」、「羽の
生えた蛇神殿」が建てられた。

「死者の通り」に並ぶ
タルー・タブレロ様式による神殿

標高約2300mのメキシコ盆地に位置するテオティワカン遺跡は、紀元前2世紀から紀元後7世紀頃まで栄えたアメリカ大陸最大級の都市国家であった。テオティワカンでは、入念な都市計画に基づいた建築活動が、紀元後1年から150年にかけて行われたと考えられていた。

（注：最近の研究では、150年から200年ごろと考えられている）

その都市設計の軸となったのが、「月のピラミッド」（152m×156m、高さ45m）を基点として都市の中央部を南に走る長さ約4km、幅45mの「死者の通り」と呼ばれる大通りであった。この都市の南北の中心軸は、真北を向いていない。そ

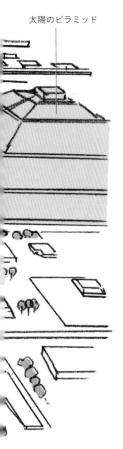
太陽のピラミッド

上／「羽のある貝の神殿」の東側のタブレロに
描かれた鳥。鳥の大きさは、74cm。
左／「死者の通り」沿いに見られる水のモチー
フとピューマの壁画。

れは、「月のピラミッド」の上に建っていた神殿が、ピラミッドの背後に聳える聖なる「太った山」（Cerro Gordo）の頂上と重なるように意図的に配置されていたからである。これは、「月のピラミッド」が盆地の地形と調和するように計画されていたことを示し、同時にその位置が都市形成の初期から重要であったと考えられている（杉山2000）。都市の中で、最大の建造物が「太陽のピラミッド」であり、また南北と東西の軸の交差点に作られたのが「羽毛の生えた蛇神殿」であった。

マヤ人の居住地発見? 「円柱広場」

「死者の通り」に沿って、20以上の神殿が建設さ

れている。それらの建造物は、タルー・タブレロと呼ばれる垂直の壁と斜めの壁が組み合わされた建造物様式が特徴である。タブレロの部分には、動物壁画などが描かれている。

最近の調査によると、「太陽のピラミッド」の向かい側にある「円柱広場」地区からマヤ様式の土器や壁画の一部が発見され、この地区はマヤ人の上層階級の人々が住んでいたと考えられている（Sugiyama N. et. al 2020）。当時のテオティワカンは、国際都市でありメソアメリカ各地から人々が集まっていた。

2

月のピラミッド

Moon pyramid

Teotihuacan >2

6回もの増改築で完成をみた

6 renovations

都市建設の中心と考えられる
「月のピラミッド」だが、
未だ不明な点は多い。
ただ、調査を進めると幾たびもの
増改築がなされていることがわかった。

「月のピラミッド」は、1960年代にメキシコの国立人類学歴史学研究所による「月の広場」全体の発掘と修復、「月のピラミッド」の正面と側面の一部、そしてアドサダと呼ばれる付属基壇の表層の全面発掘と修復作業が行われたに過ぎない。この調査の結果「月のピラミッド」は、トラミミロルパ前期（A.D.200.-300）の建造物と位置付けられた。しかし、この調査では建造物の内部を調査したという記録もなく、現在の建造物は、一回で作られたものなのか、または何度かの増改築の後、今日の姿になったのか、不明であった（杉山 2000）。このような疑問を解決し、最終的にはテオティワカンの都市の起源を解明するために愛知県立大学の杉山三郎教授とメキシコの国立人類学歴史学研究所のルベン・カブレラ氏を共同発掘団長として、「月のピラミッド考古学プロジェクト」が1998年に開始した。

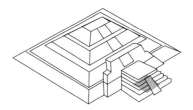

建造物1　1辺約24mの建造物、建築時期は紀元後1～100年頃。

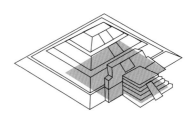

建造物5：ピラミッド本体前面にアドサダと呼ばれる付属建造物が付く新しい建築様式が出現。本体部分は1辺約90mで、建築時期は、紀元後200～350年頃。

「神々の都市」と呼ばれるテオティワカンの都市遺跡。中央右手に見えるのが「月のピラミッド」だ。

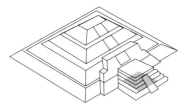

建造物2：建造物1を覆うように、1辺約30mに増改築。建築時期は紀元後100〜150年頃。

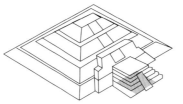

建造物3：建造物2を覆うように、1辺約31mに増改築。建築時期は紀元後150〜200年頃。

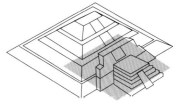

建造物4：一辺約90mに大規模に増改築。建築時期は紀元後150〜200年頃。

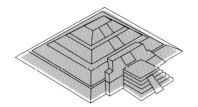

建造物6：建造物5を覆うように、一辺約143mに増改築。建築時期は、紀元後200〜350年頃。

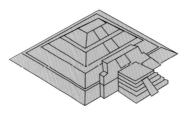

建造物7：現在の「月のピラミッド」(一辺152m〜156m、高さ45m)。

※「月のピラミッド」と「太陽のピラミッド」の由来について：アステカの神話を記録したスペインの年代学者サアグゥンの『フィレンチェ文書』によると、「テオティワカンで2人の神が炎に飛び込み太陽と月になった」という記録がある。このように2つのピラミッド由来は、アステカ時代までさかのぼり、「月のピラミッド」からは、「水の神」にかかわる石彫、「太陽のピラミッド」からは「火」にかかわる石彫などが出土している。

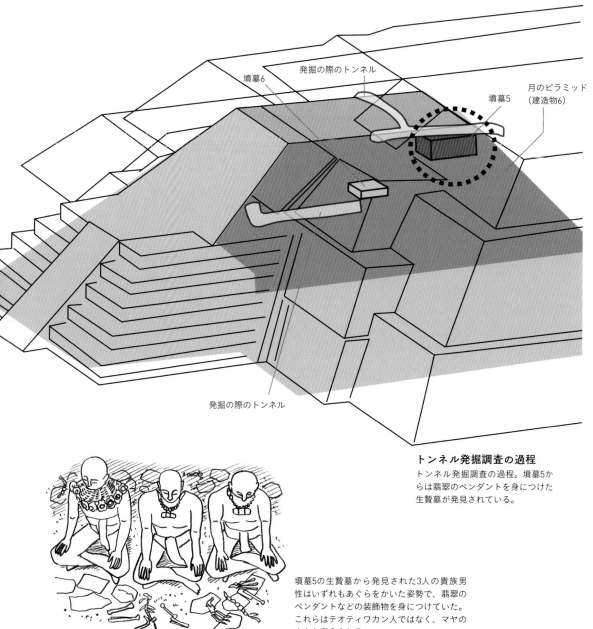

墳墓6
発掘の際のトンネル
墳墓5
月のピラミッド
（建造物6）

発掘の際のトンネル

トンネル発掘調査の過程
トンネル発掘調査の過程。墳墓5か
らは翡翠のペンダントを身につけた
生贄墓が発見されている。

墳墓5の生贄墓から発見された3人の貴族男
性はいずれもあぐらをかいた姿勢で、翡翠の
ペンダントなどの装飾物を身につけていた。
これらはテオティワカン人ではなく、マヤの
人々と考えられる。

月のピラミッドと
周辺の建造物からの出土品は?

　「月のピラミッド」の調査では、ピラミッド本
体に掘り入れたトンネルによる発掘とピラミッド
の周辺にある建造物、「月の広場」の発掘が行わ
れた。「月のピラミッド」の本体に掘り入れたト
ンネル発掘により、この建造物は6回の増改築が
行われたことが解明された。

　ピラミッド内部からは、それぞれの建造物の建
築に伴う複数の生贄墓も見つかった。建造物4に
伴う墳墓2からは、後ろ手に縛られた人骨1体と
多くの副葬品や生贄にされた動物が発見された。
副葬品は、土器、翡翠製品、耳飾り、ビーズ、人
物像、黒曜石の製品（鏃、儀式用ナイフ、石刃、
人物像）、貝製品、黄鉄鉱の鏡などである。また、
生贄にされた動物は、ジャガー、ピューマ、狼、蛇、
鷲、梟が含まれ、これらの動物はテオティワカン
の図像において王権と戦士のシンボルとして描か
れるものである。また、この建造物の頂上の床下

建造物に掘り入れられたトンネル
は、幅約1m、高さ約2mほどの広
さである。

上／テオティワカンの生贄の人々が身に着けていたヒスイのネックレス。
マヤの王家の人々が身に着けていたものと同じ様式。
下／発掘で掘り出された土から土器、石器、骨などの遺物を収集する。

生贄たちは、マヤの王の象徴たる
翡翠の装飾を身につけていた

に作られた墳墓6からは、副葬品や生贄にされた
動物と同時に、12体の生贄にされた人骨が発見さ
れ、その内10体には頭部が無かった（杉山　2000、
Sugiyama and López 2007）。

　建造物6に伴う墳墓4からは、17体の頭蓋骨の
みが発見された。これらの頭蓋骨の配置に関して
は、明確なパターンは見られなかった（Sugiyama
and López 2007）。頭蓋骨から推定される性別に関
しては、17体中15体が男性、2体は不明、年齢
に関しても14歳〜50歳まで幅広い年齢であった

（Spence and Perira 2007）。さらに頭蓋骨のアイソ
トープ分析によるとテオティワカン以外の様々な
地域出身の人物の可能性が指摘されている
（White et al. 2007）。また、建造物6の頂上の床
面に作られた墳墓5からは、マヤの貴族が身に付
ける翡翠のペンダントを付けた人物を含む3人の
貴族男性の生贄墓が発見された。これらは、テオ
ティワカンとマヤ文明の関係を示唆する重要な発
見であった。

3

太陽の
ピラミッドと
地下トンネル

Sun Pyramid and Underground Cave

テオティワカン
最大の建造物

Biggest building of
Teotihuacan

テオティワカンの都市部でも特に大きな
建造物が「太陽のピラミッド」だ。
その構造は4層からなるほか、
地下にトンネルがあることがわかっている。

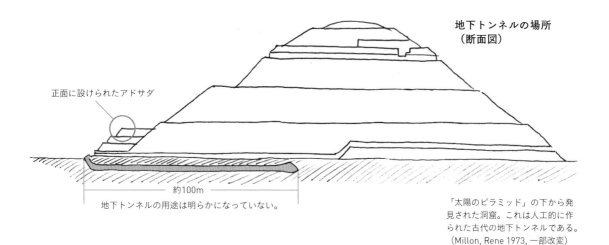

地下トンネルの場所
（断面図）

正面に設けられたアドサダ

約100m

地下トンネルの用途は明らかになっていない。

「太陽のピラミッド」の下から発見された洞窟。これは人工的に作られた古代の地下トンネルである。
（Millon, Rene 1973、一部改変）

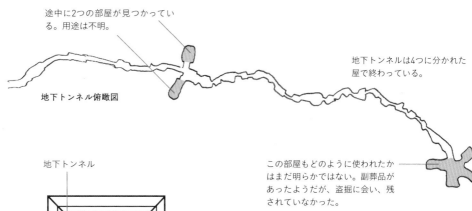

途中に2つの部屋が見つかっている。用途は不明。

地下トンネルは4つに分かれた屋で終わっている。

地下トンネル俯瞰図

この部屋もどのように使われたかはまだ明らかではない。副葬品があったようだが、盗掘に会い、残されていなかった。

地下トンネル

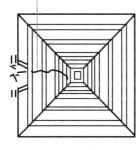

地下トンネルの場所
（俯瞰図）

1970年代に「太陽のピラミッド」の階段中央部分から内側に向かう長さ100mほどの地下トンネルが発見された。

建築年代は調査により変動、詳しくは明らかになっていないが、このピラミッドも増改築がなされていることがわかっている。

「死者の通り」に沿って、建設された神殿群の中で、「太陽のピラミッド」は、一辺約223m、高さ63mの規模を持つ巨大なモニュメントであった。この建造物の建築年代は、定説では紀元後1年から150年ごろで、その後、150〜250年ごろに増改築が行われたとされているが、現在建築年代に関しては再検討されている。また、20世紀初頭のメキシコ人考古学者パドレスの調査の際に5層のピラミッドとして復元されたが、復元された4層目は存在せず、実際には4層のピラミッドであった。

「太陽のピラミッド」の地下には、トンネルが発見された。このトンネルは、人工的につくられたもので、「太陽のピラミッド」と同時期に利用されていた。

4

Feathered Snake Temple
'Temple of Quetzalcoatl'

羽毛の生えた蛇神殿
（ケツァルコアトルの神殿）

巨大な王権の出現

The emergence of
a huge kingship

謎の多かったこの神殿の歴史的経緯が
明らかになったのは1980年代から。
この神殿も時と共に姿を変えており、
かつては彩色されていたこともわかっている。

「羽毛の生えた蛇神殿」神殿の外壁は、全面に浮彫装飾が施されている。

この壁画には、頭飾りを付けた人物とその上部に羽毛の生えた蛇が頭飾りを運んでいる場面が描かれている。

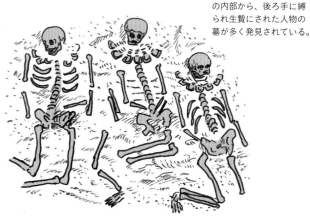

「羽毛の生えた蛇神殿」の内部から、後ろ手に縛られ生贄にされた人物の墓が多く発見されている。

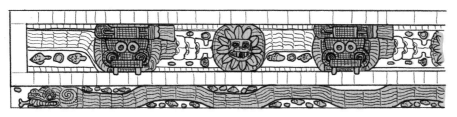

「羽毛の生えた蛇神殿」のタブレロの部分の浮彫装飾、貝、頭飾り、羽毛の生えた蛇などの彫刻がある。

1980年以前は、「羽毛の生えた蛇神殿」（Feathered Serpent Pyramid：FSP）を含む「城塞（Ciudadela）」地区の発掘調査はあまり行われてこなかった。1980年から1982年には、国立人類学歴史学研究所（INAH）による調査が行われた（Cabrera, Rodríguez, and Morelos 1991）。また、1987年には、新しい国際プロジェクトが作られ（Project Temple de Quetzalcoatl 1988–1989：PTQ88-89）、集中的に発掘が行われた。その結果、建造物の周辺と内部から合計137体を含む25基の墓が副葬品とともに発見された。副葬品から、被葬者の間に社会的地位の差があることがわかった。10代前半の副葬品の少ないグループ、またそれとは対照的に緑色石製品が副葬された高位のグループ、黒曜石の尖頭器などの副葬品が埋葬された男性戦士のグループなどがあった。副葬品、埋葬様式、ピラミッドの彫刻などから、この神殿は軍事的色彩をもつ王権の象徴として、建てられたと考えられている（Sugiyama 2005）。

杉山によると、「羽毛の生えた蛇神殿」には3つの建造物の時期が認められている（Sugiyama 1998）。第1期は、pre-FSPと呼ばれる時期で詳細な建築等に関するデータは入手出来なかったが、「羽毛の生えた蛇神殿」が作られる以前に儀式用の建造物として機能していたと考えられている。第2期は、「羽毛の生えた蛇神殿」が作られた時期で放射性炭素年代によると紀元後210年頃と推定されている。第3期は、アドサダによって「羽毛の生えた蛇神殿」の前面が覆われる時期である。これは、大きな宗教的変化を示しており、絶対的な王から集団的な指導体制に移行した可能性を示している。放射性炭素年代によると、アドサダが作られた時期は、紀元後350年頃と推定されている。

「羽毛の生えた蛇神殿」は、「月のピラミッド」や「太陽のピラミッド」とは異なり、四方が石彫で装飾され、建設当初は緑、赤、青、黄、白などで彩色されていた。その図像には、「羽毛の生えた蛇」とともに「丸い目を持つワニのような動物」、貝などがみられる。この場面は、地下の世界から王権のシンボルである「頭飾り」を「羽毛の生えた蛇」が運んでいると解釈されている。これは、「羽毛の生えた蛇神殿」を作った為政者による王権の正当化を意味している。

5

集合住宅と
人々の暮らし

Apartment houses
and people's lives

Teotihuacan >5

当時の「都会」
の様子とは

Looking back on
" Urban life "

ピラミッド周辺の都市に暮らしていた人々の数は
実に10万人と推測されている。
彼らの暮らしはどのようなものだったのだろうか。

市の中心部の周辺には、20㎢にわたり2000を超える集合住居が存在し、テオティワカンの最盛期の人口は10万ほどといわれている。集合住宅の内部には、数十もの部屋が配置され、中庭、回廊、小神殿などを共有した。このような住宅に居住した集団の中には、黒曜石の石器、土器、織物などの工芸品を専門に生産する集団もいた。また、「オアハカ地区」では、メキシコ南部のオアハカ地域から移住してきた人々が生活していた地区であった。このようにテオティワカンは、現在の都市のように様々な民族や職業集団が住む大都会であった。

　集合住宅の壁には多くの壁画が描かれた。特に、貴族の住居址と考えられているテパンティトラ住居地区では、「トラロック神の天国（Tlalocan）」と呼ばれる壁画がある。この壁画には、球戯（注）の場面、蝶々狩の場面、司祭が地面に種をまいている場面などが描かれている。また、アテテルコ住居地区の中庭にはタルー・タブレロ様式を持つ小型のピラミッドの上に小神殿のような祭壇が設

（注）球戯／手を使わずに、腰や足を使ってボールを蹴って球戯場の壁に付けられているマルカドールと呼ばれる穴の開いた石の輪にボールが通ると（穴が開いていない場合はマルカドールにボールをぶつける）と得点となる。これは、単なる遊びではなく神聖な儀式であり、球戯終了後には生贄の儀式が行われた。

左／テパンティトラの壁画「トラロック神の天国」、様々な宗教儀式や球戯が描かれている。
下／アテテルコの中庭にあるタルー・タブレロ様式を持つ基壇の上に小神殿の祭壇が設けられている。

けられている。この集合住宅の壁には、蛇やコヨーテ、ジャガーなどテオティワカンでは聖なる動物と考えられている動物の壁画が見られる。一方、テティトラ住居地区には赤い液体を吐き出している鷹や「ヒスイの神」または「緑のトラロック」と呼ばれる図像が描かれる。この神像は、頭にとりの図像のある「頭飾り」を付け、緑のヒスイの仮面を付け、神の両手からは水のようなものが流れ出し、その中には動物の頭、人間の手のような

ものが描かれている。

カブレラが1990年代に調査した「ラ・ベンティーヤ」住居地区からは、壁画だけでなく、床面に描かれた42の文字らしき記号が発見されている。しかしながら、その解読はなされていない。

多くの壁画が存在するテオティワカンでは、自分たちの歴史、世界観、宗教などに関する様々なメッセージを文字ではなく壁画を使って伝えたのではないだろうか。

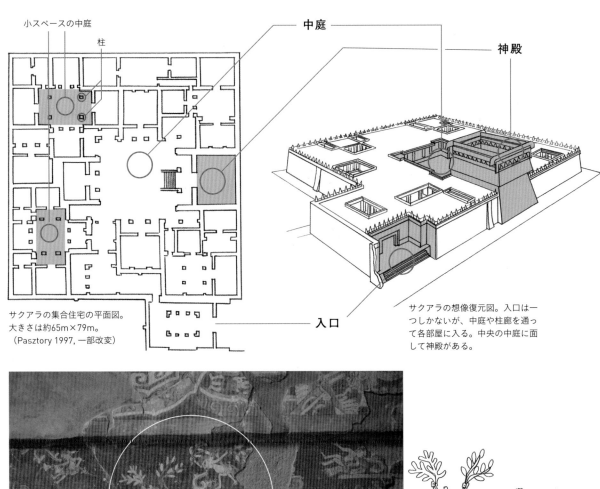

サクアラの集合住宅の平面図。
大きさは約65m×79m。
(Pasztory 1997, 一部改変)

サクアラの想像復元図。入口は一つしかないが、中庭や柱廊を通って各部屋に入る。中央の中庭に面して神殿がある。

テパンティトラの壁画の一部、「蝶々狩り」の場面を描いている。

これらの文字は記号的に使われていたと考えられている。現在でいう家紋のような性質を持っていたと思われるが、詳細についてはまだわかっていない。

ラ・ベンティーヤで発見された床に描かれたテオティワカンの文字一部。
（Cabrera 1996, 一部改変）

当時の暮らし、宗教観を描いた居住地区の壁面の図像

上／テティトラで発見された鷲の壁画、口から赤いものを噴き出している。これは生贄を象徴している。
下／テティトラで発見された「ヒスイの神」の図像。優雅な衣装を身に着け、広げた両手からいろいろなものを降らせている。

6

都市の発展と崩壊

Urban development and collapse

Teotihuacan ≫6

土器の出土分析で推測するテオティワカンの暮らし

Living inferred
from the excavation of earthenware

生活に必要な土器の出土は、
各居住区の暮らしを今に伝える。
土器の出土場所から都市の暮らしの様子を
推測してみよう。

アテテルコ住居地区は、当時の人々の
暮らしが偲ばれる貴重な遺構の1つ。

＜パトラチケ期：紀元前150－紀元前1年＞

　コーギル等は、表面採集による土器の分析からテオティワカン盆地における人間の活動の分析を行った（Cowgill 2015）。パトラチケ期の居住地域は、盆地の北西部に集中している。「月のピラミッド」のある中心部でも、地山直上の自然堆積層と考えられる56層からもパトラチケ期の土器が発見されるので、建築活動は確認できていないが、人間の活動があったことが窺われる。

＜サクワリ期：紀元後1－150年＞

　サクワリ期になると居住地域も拡大し「太陽のピラミッド」やシウダデラ（城塞）地区にもサクワリ期の土器が集中する。定説では、この時期に都市の建設も始まり、「太陽のピラミッド」も建設されたと考えられていた。

　しかしながら、「月のピラミッド」の調査は必ずしもこの定説を支持するものではない。まず、「月のピラミッド」でサクワリ期に属するのは、建造物1である。建造物1の軸は一般的に知られているテオティワカン建造物の東西軸より、東軸が北に3度ずれている（杉山　2000）。また、ガソーラの報告によると、「月のピラミッド」の建造物1と同様に、Pre-Ciudadelaの建造物はテオティワカンの基本軸よりずれている。従って、この2つの

建造物は、現在見られる都市建設が始まる以前の建造物であり、サクワリ期のテオティワカンの中心部には、北側には小型の「月のピラミッド」の建造物1、南側にはPre-Ciudadelaの建造物があったと解釈できる。

　「太陽のピラミッド」に関しては、従来の定説より、新しい時期に建設された可能性がある。この仮説が正しいならば、サクワリ期には、大型の建造物を作るよう権力者がまだ出現せず、徐々に発展し人口増加をもたらしたと考えられる。

＜ミカオトリ期：150－200年＞

　コーギルによると、ミカオトリ期の土器の分布は、サクワリ期と同様にテオティワカン盆地全体、約20平方キロメートルにわたって見られる。中心部の建築活動としては、従来の定説ではこの時期に「シウダデラ（城塞）」や「羽毛の生えた蛇神殿（ケツァルコアトル神殿）」が造られたと考えられていた。この定説に対して、「月のピラミッド」等の最近の調査のデータを使用して検討する。

　第一に、「月のピラミッド」では、建造物1を覆い隠しながら、建造物2、建造物3の小規模な増改築が行われる。これらの建造物の方向は、徐々にテオティワカンの基準の方向に近づく。この建造物2、建造物3に対応する建造物が、「太陽のピラミッド」の建造物1、「羽毛の生えた蛇神殿」の

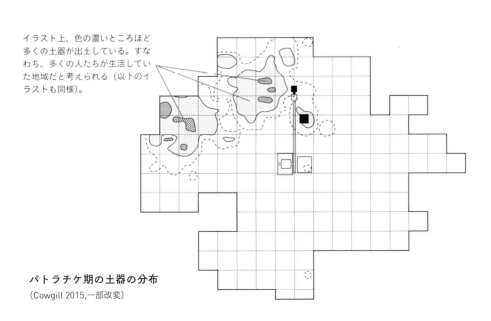

イラスト上、色の濃いところほど多くの土器が出土している。すなわち、多くの人たちが生活していた地域だと考えられる（以下のイラストも同様）。

パトラチケ期の土器の分布
（Cowgill 2015,一部改変）

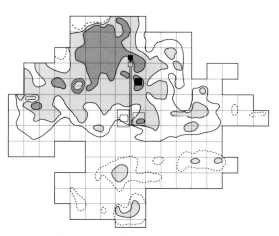

サクワリ期の土器の分布
（Cowgill 2015,一部改変）

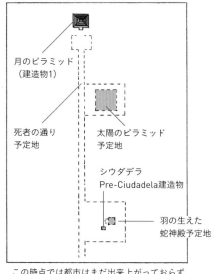

この時点では都市はまだ出来上がっておらず、
2つの建造物があるだけだった。

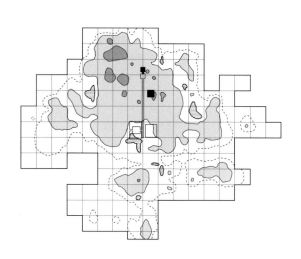

ミカオトリ期、トラミミロルパ期の土器の分布
（Cowgill 2015,一部改変）

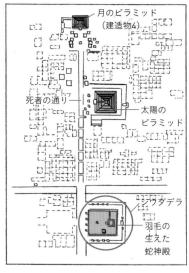

都市の中心部分では、ミカオトリ期に「月のピラミッド」の建造物4、「太陽のピラミッド」、「羽毛の生えた蛇神殿」、「死者の通り」が作られる。その後、トラミミロルパ期になると「月のピラミッド」の建造物5、建造物6、建造物7が作られ、また周辺には集合住宅が建設される。

Pre-FSPであると考えられる。

　次に、「月のピラミッド」では大規模な増改築が行われ、建造物4が建設される。この建造物に対応するのが、「太陽のピラミッド」の本体、「羽毛の生えた蛇神殿」の本体部分である。また、「死者の通り」もこの時期に作られたと考えられ、テオティワカンの中心部が完成する。これらの建造物の大きさ、また多くの生贄墓の存在から、強力

な力を持った人物の存在が示唆されている。

＜トラミミロルパ期：200年－350年＞

　「月のピラミッド」では、建造物5、建造物6、建造物7がトラミミロルパ期に建設された。建造物5では、新しい建築様式としてタルー・タブレロ様式を持つアドサダが建設された。これ以後「月のピラミッド」では、この建築様式を踏襲す

るように建造物6、建造物7が建築される。また、建造物6から発見された墳墓5からは、マヤの高貴な人が身につけるヒスイのペンダントが見つかっており、マヤ文化と関係のある高貴な人物が生贄にされた可能性を示している。

また、「太陽のピラミッド」、「羽毛の生えた蛇神殿」においてもアドサダが作られる。テオティワカンの中心部分では、「月のピラミッド」の建造物7の建築以後、これらの3つのモニュメントでは建築活動は行われず、「死者の通り」の周辺にアパート建築活動が盛んになる。

＜ショラルパン期:350年－550年＞

メソアメリカの各地で、テオティワカンの影響が見られる時期である。当初、宗教や商業のセンターであったテオティワカンは、メソアメリカ最大の都市へと成長する。ここには、各地の商人が住んだだけでなく、外部からきた移民などが永住していた。当時の人口は、10万人程と推測されている。

＜メテペック期:550年－650年＞

テオティワカンが崩壊する時期である。テオティワカンの中央部の神殿や宮殿が破壊される。テオティワカンがどのように崩壊していったのかは不明であるが、テオティソカン内部での反乱説や外部からの侵略説などがあげられている。

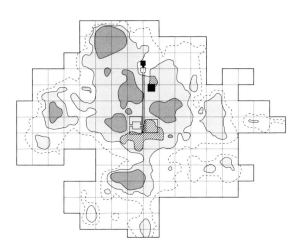

ショラルパン期の土器の分布
（Cowgill 2015,一部改変）

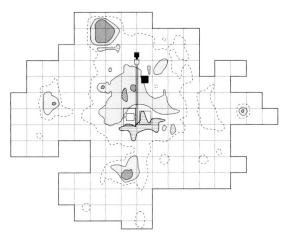

メテペック期の土器の分布
（Cowgill 2015,一部改変）

ピラミッドの建造と
都市展開の変遷は――

7

テオティワカンと交流のあった遺跡1

Cities that interacted with Teotihuacan I

Teotihuacan >7

モンテ・アルバン（メキシコ）

Monte Alban

16世紀まで人々が暮らしていた痕跡の残る、
メキシコ南部のモンテ・アルバンでは
テオティワカンの土器が発掘されている。
ただし、その交流は庶民よりも
上級階層の人々に限られていたようだ。

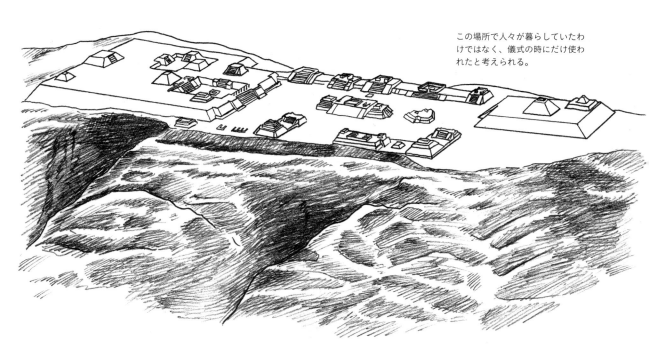

この場所で人々が暮らしていたわけではなく、儀式の時にだけ使われたと考えられる。

テオティワカン様式の頭飾りを付けた人物、手には香炉を持っている。

香炉。

サポテカ様式の頭飾りを付けた人物。

モンテ・アルバンで出土したテオティワカン様式の土器（三脚付円筒土器）。

上：丘を整地して南北約600m、東西約250mの広さに20以上の建造物が作られた。
下：南のプラットフォームから発見された石碑LISA（ESTELA LISA）にはテオティワカンかとの交流の場面が描かれている（Marcus and Flannery 1996, 一部改変）。

モンテ・アルバンの中央平場に作られた建造物Jの壁には、人身供犠にあった捕虜の地名や象が刻まれた石板が嵌め込まれている。

メキシコ南部のオアハカ盆地にあるモンテ・アルバン（Monte Alban）は、紀元前500年頃から紀元後16世紀まで居住の認められる遺跡である。モンテ・アルバンは、オアハカ盆地の中央部にある高さ400m（盆地の底からの高さ）ほどの山の上を平らにして作られ、最盛期のモンテ・アルバンⅢ期（A.D.200-700）には、20以上のピラミッドがモンテ・アルバンの中央広場の内外に造られた。

モンテ・アルバンⅢa期（A.D.200-500）には、オアハカ盆地全体では、115,000人の人口があり、モンテ・アルバンの都市には16,500人が1119の住居に住んでいたと推測されている。盆地の南側には、ハリエサ（Jalieza）が第2の都市として出現する。ハリエサは、盆地の底から250mほどの高さにある丘の上に築かれた都市で、20以上の公共建造物が造られ、当時の人口は12,835人と推定されている（Marcus and Flannery 1996、青山・猪俣1997）。

上級階層に限られていた？
テオティワカンとモンテ・アルバンの交わり

モンテ・アルバンのⅢa期には、モンテ・アルバンとテオティワカンとの交流が盛んになった。しかし、モンテ・アルバンとテオティワカンの間に戦争があったという証拠はない。

テオティワカンの使者がモンテ・アルバンの地を訪問した証拠は、様々な石彫に描かれている。モンテ・アルバンの南のプラットフォームから発見された石碑（Estela Lisa）にはテオティワカン様式の頭飾りを付けた人物が、サポテカ様式の頭飾りを身に着けた地元上級階層に迎えられている場面が描かれている。テオティワカン人の服装を見ると、共に戦士の服装を身に付けてないので外交的な関係を示していると推測されている。

石碑以外で、テオティワカンとの交流を示すものとしてテオティワカン様式の土器がモンテ・アルバンでも確認されている。しかし、その量は少なく、また上級階層の墓や住居からのみ出土するので、これらの土器は一般に普及したものではなく上級階層間で行われた交流品と考えられている。また、テオティワカンの特徴的な建築様式であるタルー・タブレロ様式を持つ建造物も中央広場から発見されている。

テオティワカンではオアハカ住民（サポテカ人）の居住区があった。この居住区は、広さ20×50mのアパート形式で中には2つの墓があり、墓からはサポテカ様式の土器が出土した。一方、モンテ・アルバンではテオティワカン人の居住区と考えられる住居址は発見されていない（Marcus and Flannery 1996、青山・猪俣　1997）

8

テオティワカンと交流のあった遺跡2

Cities that interacted with Teotihuacan 2

Teotihuacan >8

ティカル（グアテマラ）

Tikal

一時は6万人もの人々が暮らしていたとされるグアテマラの古代遺跡・ティカル。しかしテオティワカンの使者が侵入、王位が奪取された。

神殿1（高さ47m）、26代王ハサフ・チャン・カウィール1世王（在位682年-734年）の時代に建造された。

ティカル遺跡は、首都のグアテマラ市から北東に約600km、ペテン地域の熱帯雨林の低地に位置する。この遺跡では、紀元前900年頃から紀元後9世紀ごろまで人が住んでいた。

　最近のマーティン等の研究によると、ティカルでは紀元1世紀頃に王朝が成立し、先古典期後期にペテン地域で起きたエル・ミラドール等の遺跡の崩壊に巻き込まれることなく生き延び、古典期マヤ文化の中心地となった。その後、4世紀頃テオティワカンの影響を受け、この地域における優位を確立した。しかし、6世紀には弱体化し、カラコルとの戦争で敗北し130年に及ぶ暗黒時代となる。7世紀の終わりには復興し、それから9世紀ごろまでマヤ地域のおいて重要な地位を占めた。最盛期は、8世紀頃でこの時期には6万人の人口を擁する巨大都市となっていた（マーティン&グルーベ　2002、Martin & Grube 2000）。

碑文の解読、378年の侵入

　マーティン等の碑文の解読によると、378年1月31日にテオティワカンと関係のあるシヤフ・カックと呼ばれる人物がティカルへ「到着」（征服を意味する）したという。この人物は、ティカル到着の8日前に、ティカルの西78Kmにあるエル・ペルー遺跡を通過している。従って、この人物は、メキシコ高地のテオティワカンから直接来たと考えられている。

　378年にシヤフ・カックが「到着」すると、当時ティカルを治めていたチャク・トク・イチャーク1世王（在位：362-378年）が殺され、その後テオ

左／石碑31号の正面には、マヤ様式の衣装を着たティカルの16代王シヤフ・チャン・カウィール1世の像が刻まれる。
右／石碑31号の側面には、テオティワカン様式の衣装を着た15代王のヤシュ・ヌーン・アイーン1世の像が刻まれる

ティワカンの支配層と関連する集団がティカルの王位を継ぐことになる。この征服によりそれまで建てられた多くのモニュメントが破壊され、新しい建造物を作る際の盛土となった。また、ティカルから20km程北にあるワシャクトゥンでもテオティワカンによる侵入の痕跡が認められる（マーティン＆グルーベ　2002、Martin and Grube 2000）。

新しい秩序の確立

379年、ティカルではシヤフ・カックに従属する新しい王としてヤシュ・ヌーン・アイーン1世（在位：379〜404?）が即位する（「槍投フクロウ」の子ども）。これらの新しい支配者が、テオティワカン人か在地のマヤ人かを断定することは難しいが、いずれにせよ当時のペテン地域がテオティワカンの支配下にあり、テオティワカン人による「新しい秩序」が確立された。

また、シヤフ・カックとは異なる「投槍フクロウ」と呼ばれる人物の記録も残っている。「投槍フクロウ」を表す文字は、テオティワカンとの繋がりをより直接的に示す特徴を持っていた。その名前を表す文字は、投槍器を持ったフクロウで表されている。

テオティワカンにより新たな文化がもたらされた

テオティワカン人のティカル訪問を表す三脚付円筒土器の文様の展開図

マヤ様式の建造物

タルー・タブレロ様式の基壇とマヤ的要素の屋根飾りを持つ建造物（2つの要素の融合）

マヤの人物像

右手に持っている頭飾り
にはフクロウが刻まれた
メダルがつけられている。

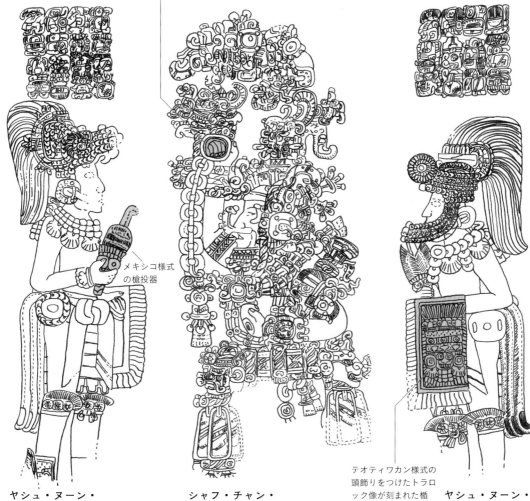

メキシコ様式
の槍投器

テオティワカン様式の
頭飾りをつけたトラロ
ック像が刻まれた楯

**ヤシュ・ヌーン・
アイーン1世**

テオティワカンの戦士像の姿
をしている。

**シャフ・チャン・
カウィール2世**

マヤの装飾を身につけている。

**ヤシュ・ヌーン・
アイーン1世**

左右は同じ人物。

テオティワカンの戦士

テオティワカン様式の頭飾り
を付けた人物（テオティワカ
ンの土器を持つ）

タルー・タブレロ様式をもつ
テオティワカンの建造物

テオティワカンと交流のあった遺跡3

Cities that interacted with Teotihuacan 3

カミナルフユー（グアテマラ）

Kaminaljuyu

テオティワカンからは
比較的離れた場所で
栄えたカミナルフユー遺跡。
しかし、建造物や土器の様式に
同じ様式が見られるなど、
両者の繋がりが示唆されている。

人と一緒に生贄として
埋葬されたイヌ。

丸く見えるものは土器。
さまざまなサイズが使
われていた。

カミナルフユーのマウンドB
で発見された墳墓B-2、テオ
ティワカン「月のピラミッ
ド」の墳墓5出土の生贄同様
にあぐらをかいた状態で埋葬
されている。

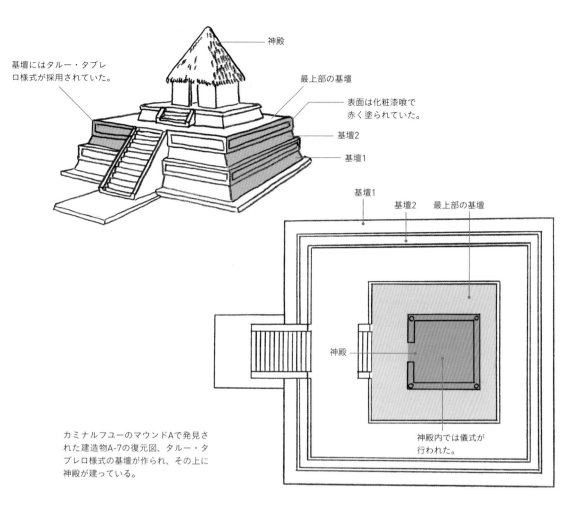

神殿

基壇にはタルー・タブレロ様式が採用されていた。

最上部の基壇

表面は化粧漆喰で赤く塗られていた。

基壇2

基壇1

基壇1

基壇2

最上部の基壇

神殿

神殿内では儀式が行われた。

カミナルフユーのマウンドAで発見された建造物A-7の復元図、タルー・タブレロ様式の基壇が作られ、その上に神殿が建っている。

　　アテマラ高地にあるカミナルフユーは、現在のグアテマラ・シティ西郊外にある遺跡であり、テオティワカンから直線距離で約1300km離れている。この遺跡は、先古典期中期（700 B.C.）頃から居住が始まり先古典期後期に周辺のイサパ文化と同様に洗練された石彫や土器などを持つ大祭司センターであった。先古典期が終わるころ一度衰退するが、紀元後400頃から始まるエスペランサ期（A.D.400-600頃）にテオティワカンと強い繋がりをもち再び繁栄を迎えた。

　現在遺跡公園となっている地区のマウンドA、マウンドB等から建造物が発見された。建造物の基壇は、階段状のピラミッドでテオティワカン特有のタルー・タブレロ様式を取り入れていた。テオティワカンがあるメキシコ高地には建築用の石材が豊富にあったが、カミナルフユーでは石材を入手できなかったため、主として建材として粘土

を用い、表面に化粧漆喰をかけて赤く着色していた。階段状基壇の正面には階段が設けられ一番上には神殿が建てられていた。

　また、これらのマウンドの正面階段の下からは墓が発見され、三脚付円筒土器、トラロックの壺、薄手オレンジ土器等の多くのテオティワカン様式の遺物が出土している。（Kidder et. al. 1946）。

三脚付円筒土器、薄手オレンジ土器、カンデレロ

　テオティワカンと交流のあった地域では、三脚付円筒土器が見られる。テオティワカンでは、三脚付円筒土器はトラミミルパ前期（A.D.200-300）頃に出現するが、脚部が四角形の三脚はトラミミロルパ後期（A.D.300-450）さらにタルー・タブレロを模した三脚はショラルパン前期（A.D.450-550）に位置付けられる。従ってカミナル

羽根で飾られた頭飾りを付けた
テオティワカン人が描かれている。
（Kidder et. Al. 1946, 一部改変）

腰かけたマヤ人の様子を示す。（Kidder et. Al. 1946, 一部改変）

マヤの神々が描かれている。（Kidder et. Al. 1946, 一部改変）

フューで見られるテオティワカン様式の土器は、
トラミミロルパ後期からショラルパン前期頃の土
器と考えられる。

　エスペランサ期の墳墓から発見された土器は、
日常品の土器とは大きく異なる。これらの土器は
支配者層のために特別に作られたか、あるいはテ
オティワカンから直接運ばれてきた可能性もある。
三脚付円筒土器の中には、化粧漆喰がかけられそ
の上に文様が描かれている土器もある。描かれて
いるのは、羽毛で飾られた頭飾りを持つテオティ
ワカンの貴族、腰を掛けたマヤ人、マヤの神々な

どが描かれている。

　薄手オレンジ土器は、三脚付円筒土器と同様に
広く分布する土器である。これらの土器はメキシ
コのプエブラ州で生産されたもので、そこからテ
オティワカンを経由してメソアメリカ全体に流通
したと考えられている。

　カンデレロは、携帯用の香炉と考えられている。
テオティワカンではトラミミロルパ〜ショラルパ
ン期に出現する。この特殊な香炉もテオティワカ
ンと交流のあった地域に広く分布する。

メキシコ、プエブラ州で製作された薄手オレンジ土器がテオティワカン経由でカミナルフユーにもたらされた。
（Kidder et. Al. 1946, 一部改変）

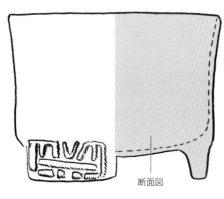

断面図

カミナルフユーのモンゴイ地区出土のテオティワカン様式の三脚付円筒土器とカンデロ。
（タバコと塩の博物館, 1994一部改変）

テオティワカン出土のカンデロ。携帯用の香炉でテオティワカンと交流のあった地域に広く分布する。
（Cowgill 2015, 一部改変）

メソアメリカ
各地に広がった
テオティワカンの
土器様式

10

テオティワカンと交流のあった遺跡 4

Cities that interacted with Teotihuacan 4

Teotihuacan >10

コパン（ホンデュラス）

Copan

ホンデュラス北西部に
王朝を築いたコパン。
出土された土器に描かれた
建築の様式などから、
テオティワカンとの深いつながりが
示されている。

コパン遺跡の神殿11号に残されている巨大な頭像。

コパン（Copan）遺跡は、ホンデュラス国の北西部に位置し東南マヤ地域の主要なマヤ・センターの1つである。標高は、600m〜1400mで盆地の中央部にモタグァ川の支流であるコパン川が流れ、コパン川の氾濫原は1200ha程の広さがある。盆地の中央部には、Main Groupと命名された都市の中心部があり、その周辺に建造物が密集しているエル・ボスケ地区やラス・セプルトゥラス地区があり、コパン盆地全体で約3500の建造物が確認されている。

コパン遺跡の中心部分には、北側に広場があり、南側に建造物が集中するアクロポリスと呼ばれる部分がある。

紀元後5世紀の初頭、キニチ・ヤシュ・クック・モ王がコパン王朝を創設した後、9世紀にその王朝が崩壊するまで16人の王がいた。16代目のヤシュ・パサフ・チャン・ヨアート王は、16人の王を祭壇に刻み、初代の王から王権のシンボルである杖を受け取る場面を石に刻んだ。歴代の王の事績に関しては、リンダ・シリーをはじめとする多くの碑文学者が研究を行っており、日々新しい解釈がなされている。（Schele, Linda and David Fredel 1990, Martin and Grube 2000）

コパン王朝の創始者

コパン王朝の創始者はキニチ・ヤシュ・クック・モと呼ばれる人物である。祭壇Qの上面に彫られた碑文では、コパン王朝の開始について次のように述べられている。「426年9月15日、当時まだクック・モ・アハウと呼ばれていた初代王が王位に就き、即位の日から153日後にコパンに到着した」すなわちコパンの初代王は、コパンとは異なる地で即位し、コパンに到着したことが示されている。シャーラーによって発掘された神殿16の

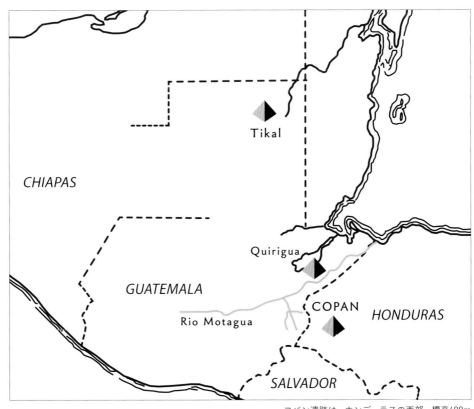

コパン遺跡は、ホンデュラスの西部、標高600mのコパン盆地にある。盆地の中央には、モタグァ川の支流であるコパン川が流れている。

コパン盆地全域にわたり建造物が分布している。都市の中心部分には多くの建造物や石碑が建てられ、それを取り囲むラス・セプルトゥーラス地区やエル・ボスケ地区には上層階層の人が住んでいた。

コパン都市部

黒い丸は建造物を示す。

コパンツ

最初の建造物はフナル神殿と呼ばれ、それはタルー・タブレロ様式の建造物であり、王妃が埋葬されたマルガリータ神殿からは、「ダズラー」と呼ばれるテオティワカン様式の三脚付円筒土器が出土し、その土器にはタルー・タブレロ様式の神殿が描かれている。このようなことから、コパンの初代王は、メキシコ高地（テオティワカン）と関係のある人物と考えられている。

738年の事件

13代のワシャクラフン・ウバーフ・カウィール王（在位695-738年）の治世、コパンは順調に繁栄し、王自ら自分の肖像を刻んだ石碑を多く建立した。738年1月6日、新しい球戯場が完成した。738年4月、ワシャクラフン・ウバーフ・カウィール王は、それまでコパンに従属していたキリグァ王のカック・ティリウ・チャン・ヨアート王によって捉えられ、6日後に「斬首」された。シーリーは、「738年1月6日に完成した球戯場用の生贄を捕獲するためにキリグァに戦争に出かけたが、逆に捕らえられた」と解釈した。コパンにとってこの不名誉な出来事は、何年もあとになって碑文

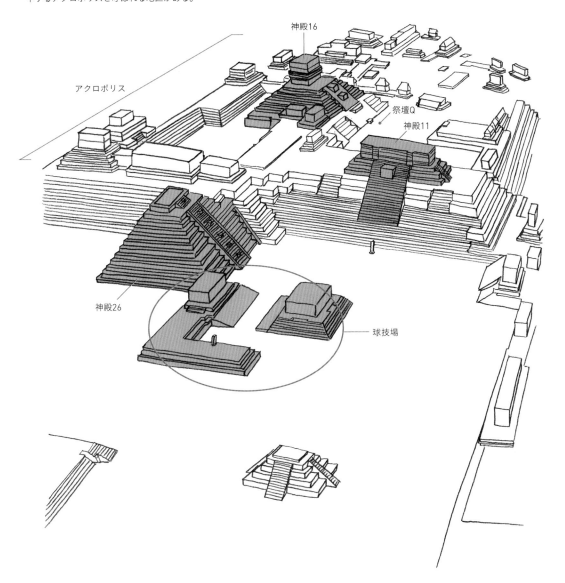

都市の中心部の復元図、南側に石碑が多く
建てられた広場があり、北側に建造物が集
中するアクロポリスと呼ばれる地区がある。

アクロポリス

神殿16

改築

祭壇Q

神殿11

神殿26

球技場

に記されることとなる。コパンの碑文では、王は
「槍と楯」によって命を落としたとされる。キリ
グァの碑文とは異なりコパンではワシャクラフ
ン・ウバーフ・カウィール王は「処刑」されたの
ではなく、戦場で名誉の戦死を遂げたこととなっ
ている。コパン王朝は最盛期にあった13代王の時
期に突然破局を迎えることとなった。

コパンの復興：神殿26の建立

14代のカック・ホプラフ・チャン・カウィール
王は、749年に死去し、その後息子のカック・イ

ピヤフ・チャン・カウィール王が15代王として即
位した。彼はコパン復興計画に力を注ぎ、神殿26
の改築を行った。21mに及ぶ神殿26の階段には、
2200の文字（神聖文字の階段）と6人の王の像が
刻まれている。この階段が完成したのが、755年
であり、この階段にはコパン王朝の栄光の日々が
刻まれている。古代マヤでは、ピラミッドは聖な
る山にたとえられ、コパンでも神殿26には何人か
の王が埋葬され、象徴的な「祖先の山」とした。
コパンでは、アクロポリスにある王朝創始者を祭
る神殿16とこの神殿26が2つの聖なる地であった。

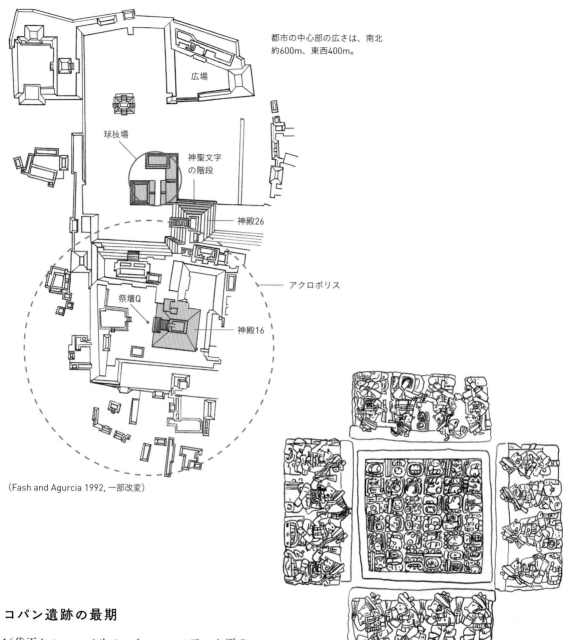

都市の中心部の広さは、南北
約600m、東西400m。

広場

球技場

神聖文字
の階段

神殿26

アクロポリス

祭壇Q

神殿16

（Fash and Agurcia 1992, 一部改変）

コパン16代王ヤシュ・パサフ・チャ
ン・ヨアート王が776年に作成された
「祭壇Q」、側面にコパンの16人の王が
刻まれている。

コパン遺跡の最期

　16代王ヤシュ・パサフ・チャン・ヨアート王の
最期は明らかでない。9世紀のコパン王国では、
人口増加がもたらした環境破壊により食糧不足と
病気が蔓延していた。16代王の死後、新たらしい
秩序を作ろうとしたのが最後の支配者ウキト・ト
ーク王であった。彼は、822年に即位したが、彼
の支配期間はわずかであった。彼は「祭壇Q」を
真似て「祭壇L」を作成したが、ウキト・トーク
が16代王と向き合って座り、王位継承の正統性が
承認されている場面のみ刻まれ、未完のままこの
祭壇は放棄された。

上／「祭壇Q」に刻まれた一場面で、16代王が初代キニチ・ヤシュ・クック・モ王から王位の象徴であるバトンを受け取っている場面。
中／コパン遺跡の球戯場、738年に完成。
下／16代王の死後、ウキ・トーク王によって作成された「祭壇L」、1面のみ彫刻が施され残り3面は未完成のまま放棄された。

祭壇の各所に残る
王位継承の変遷

上／13代王ワシャクラフン・ウバフ・カウィール王の石碑。
下／15代王カック・イピヤフ・チャン・カウィール王が建造した神聖文字の階段、2200の文字を使って、コパンの栄光の日々を綴っている。

Europe

ヨーロッパ編

ヨーロッパではギリシア、イタリアという2つの国に四角錐の石造建築「ピラミッド」が残されている。エジプトのピラミッドが墳墓としての性質をもつのに対し、ヨーロッパに残るピラミッドでは少し性質が異なるとされているものもある。

著/佐藤 昇（エリニコのピラミッド）
　　高橋亮介（ガイウス・ケスティウスのピラミッド）

1 / エリニコのピラミッド

Pyramid in Elliniko

Greece | 石積みの遺構は
軍事施設? 塔?

A pyramidal structure.
A military facility or a tower ?

ギリシア南部、
エリニコに残る古代ギリシアのピラミッドは、
他の「ピラミッド」と建造目的が
異なる特徴的な建造物だ。

古代ギリシアと言えば白亜のギリシア神殿があまりに有名であるが、古代ギリシアの「ピラミッド」となると、知る者もそう多くはないだろう。ギリシア南西部ペロポネソス半島の東に位置するアルゴス平野の端に、その名を冠した建造物がある。「エリニコのピラミッド」である。

古代ギリシアの有力都市アルゴスから古道を南西に9キロほど進んだところ、現代のエリニコ村のそばにその建造物はひっそりと佇んでいる。山の裾野に築かれたこの建物からの見晴らしは格別で、はるか先にアルゴス湾まで見渡せる。この地域には「ピラミッド」と呼ばれる建造物がいくつかあったようだが、現在まで確認されているものは2つのみ。そのうち残存状態良好なのが、この「エリニコのピラミッド」である。

この建造物の平面プランは、およそ14.7m×12.6mの長方形。エジプトのそれに比べれば、形も異なり、規模もごく小さい。四方の壁面は「ピラミッド」の通称通り、下から上に向けて約60度で内側に傾斜しており、多角形に成形された比較的大きな灰褐色の地元産石灰岩を巧みに組み上げて形成されている。上部は崩れ落ち、現在は地上3.6mほどまでしか残っていない。もしも最上部までピラミッド状になっていたとすれば、高さは短辺と同じ12.6mほどになっていたと推測されるが、建設当時、上部がいかなる姿をしていたのかは判

およそ7m四方の
内部空間。

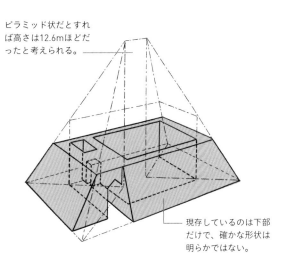

ピラミッド状だとすれ
ば高さは12.6mほどだ
ったと考えられる。

入り口は通路よりも
広く取られている。

「エリニコのピラミッド」の平面プラン。入口から通路
を通って内部の室内に入れるようになっている。

現存しているのは下部
だけで、確かな形状は
明らかではない。

「エリニコのピラミッド」の立体図。上部の点線箇所は
想像。壁面の角度から考えて、最上部は一つの頂点では
結ばれない形になるが、そもそもどのような構造だった
かは不明。

「エリニコのピラミッド」全景。

崩れ落ちた上部は
どのような形状だったのか

「エリニコのピラミッド」の入り口。形の異なる多角形の石材を組み上げて壁面が建造されている。

然としない。南東部には大きく開かれた入り口があり、そこから内部に入ると壁面に沿って廊下が続く。突き当たりを右に折れると、中央部におよそ7m四方の空間が広がっている。

建造目的との関連も？
近隣他国との国際情勢

建造されたのはいつ頃のことなのだろうか。1930年代に行われた調査では、近隣の類似遺跡の構造などと比較し、出土遺物の年代なども勘案して、前4世紀後半と推定された。これはちょうど近隣地域の国際情勢が複雑さを増していった時期に当たる。

この頃、ペロポネソス半島の覇権国家スパルタは往時の力を失い、対して北方で勢いを増していたマケドニア王フィリッポス2世（アレクサンドロス大王の父）が、この地にまで介入の手を伸ばしていた。古豪アルゴスは旧来スパルタと対抗関係にあり、反スパルタを掲げる諸国と手を結び、フィリッポスの支援を受けて軍事活動も行ない、領土を獲得するような事態も生じている。

こうした情勢が「エリニコのピラミッド」の建設にどれほどの影響を与えたのかは不明だが、ある研究者は守備隊の詰所として建設されたと推定している。現存部分には矢狭間なども確認されず、

地上3.6mの辺りまでは
原形を保っているが、そ
れより上は崩れ、周囲に
上部を構成していた石材
が散乱している。

軍事拠点とも考え難いため、小規模な守備隊、歩哨が駐留するための施設だったのではないかというのである。たしかに周囲の平野を広く見通せる立地の良さも、これで説明がつくかもしれない。しかし、この説明では何故ピラミッド状の構造物が作られたのか、うまく説明がつかない。この他、年代や建設目的に関しては、研究者たちが様々に意見を提示している。ある研究者は、紀元前350年ごろ、農地に私的に建設された「塔」であったと推測する。壁の斜面はおそらく梯子をかけて上の階に登るのに便利だったのではないか、内部は水やオリーヴ油、あるいはその他のものを貯蔵・収納する機能を持っていたのではないかというのである。たしかに古代ギリシアの農場には、必ずしもピラミッド型というわけではないが、そのような機能、さらに緊急時の避難場所としての機能を伴った「塔」がいくつも確認されており、比較的妥当な意見のように思われる。

最新技術で揺らぐ
建造の推定年代

古代の文献では、後2世紀の著作家パウサニアスがこの地域のピラミッド型建造物に触れており、遥か古代の墓所であったと伝えている。神話の時代、アルゴス王アクリシオスが王位をめぐって兄弟のプロイトスと合戦を繰り広げた際、落命した兵士たちを弔うために、ピラミッド状の共同墓地が建設されたというのである。しかしどうやらこれは、パウサニアスの記述に従う限り、「エリニコのピラミッド」とは別のものであるらしく、両者の関係は不明である。またこの神話物語が、建設年代はもとより、本来の建設目的をどれほど反映しているのかも定かではない。

興味深いことに、20世紀末、「エリニコのピラミッド」はエジプトのピラミッドに比肩するほど古い建造物であったとする主張が見られるようになる。新たな科学技術、熱ルミネセンス年代測定法により当初は紀元前3240±640年、やがて修正されて前2730±720年という年代が算出され、さらにこの年代推定に基づいて、祖先・英雄を祀る祭祀建築（ヘロオン）として建設されたのではないかという意見も提示された。しかし、この年代測定法に対しては多くの問題点が指摘されている。今や「エリニコのピラミッド」は、ナショナリズムや反西欧中心主義も絡み合い、知る人ぞ知る現代史の興味深い一幕となっている。

2

ガイウス・ケスティウスのピラミッド

Pyramid of Cestius

Italia

権力者の象徴としての「四角錐」

"Square pyramid"
as a symbol of power

イタリア・ローマにも墓所としてのピラミッドがある。
古代エジプトの建造物との造形の類似は、
エジプトを制した記念として、
あるいは「権力者のステータス」としての
ピラミッドだったのであろうか。

東側の面には建造、修復の歴史が刻まれている。

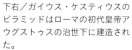

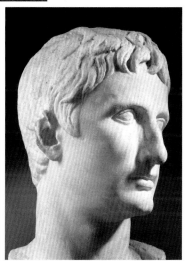

上／ピラミッドはオスティエンセ広場にある。最寄りのローマ地下鉄の駅名は「Piramide」。言うなれば「ピラミッド駅」である。
下左／ピラミッドは現在、後代に建てられた城壁の一部となっている。
下右／ガイウス・ケスティウスのピラミッドはローマの初代皇帝アウグストゥスの治世下に建造された。

　ローマにあるガイウス・クスティウスのピラミッドは、初代ローマ皇帝アウグストゥスの治世下の紀元前18年〜紀元前12年のあいだに建てられた墓所である。高さが約37m、一辺の長さが約29mがある、縦に長いピラミッドはコンクリート製であるが、表面は北イタリアのルナ（現在のカッラーラ）産の白大理石で覆われている。内部の玄室は奥行き約6m、横幅4mの長方形で、筒型ヴォールトの天井を持つ。玄室の内部はフレスコ画で装飾が施されている。

　ケスティウスのピラミッドは、現在のオスティエンセ広場に面した場所にあり、後代に作られた城壁に取り込まれてしまっているが、建設された時点では都市域の外にあった。古代ローマでは都市内に死者を埋葬することが禁じられていたため、墓は周辺の街道沿いに作られたが、その中でもピラミッドはひときわ目を引いたであろう。ピラミッドは、都市ローマと南西の港町オスティアを結ぶオスティエンシス街道沿い、それも街道から別の道が分かれる三叉路に位置していた。これらの道から見やすい西面と東面には「ガイウス・ケスティウス・エプロ、ルキウスの息子、ポブリリア区所属、法務官、護民官、聖餐七人神官」という同一の文言が刻まれ、被葬者の名前と生前務めた

玄室の内部は2016年に修復が完了し、一般にも公開されている。
壁面は直線と燭台の絵で区切られ、長方形のパネル状の部分には
女性の姿や壺が小さく描かれている。

官職が記されており、ケスティウスがローマの貴族である元老院議員であったことが分かる。さらに東面には「工事は、相続人であるポンティウス・メラ、ププリウスの息子、クラウディア区所属および解放奴隷ポトゥスの監督のもと、遺言にしたがって330日で完成した」と書かれている。その下に「1663年に修復された」とあるのはむろん近世になってから刻まれたものである。

　ピラミッドの年代を決める手がかりはピラミッドの脇で発見されたケスティウスの青銅像の台座に刻まれた碑文にある。そこにはピラミッドにも名前が刻まれたルキウス・ポンティウス・メラ、ケスティウスの兄弟であるルキウス・ケスティウスら7人の相続人の名前が記されている。その中には皇帝アウグストゥスの腹心で娘婿となったマルクス・アグリッパもいる。彼は紀元前12年に亡くなっているので、ケスティウスの死はこれよりも前となる。また、この像を建てるために「ガイウス・ケスティウスの墓に彼の遺言通りに納めることが、按察官の告示により彼ら（相続人たち）に許されなかった金刺繍布（アッタリカ）を売ったお金」が使われたとある。金刺繍布を副葬品とすることを違法としたのは紀元前18年に発布された贅沢を禁じるユリウス奢侈法だと考えてお

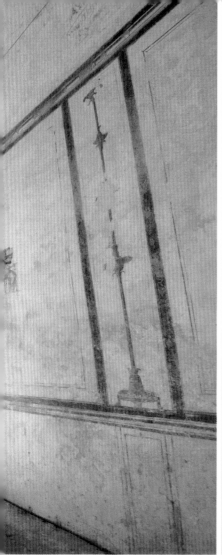

上／玄室に向かうトンネルは後代に掘られたもので、古代には出入り口はなかったようだ。
下／玄室の天井の四隅には、羽をもつ勝利の女神が描かれている。

り、ケスティウスの埋葬はそれより後となろう。

　ケスティウスはピラミッドを自らの墓とする着想をどこから得たのであろうか。ただちに考えられるのが、紀元前30年に起こったエジプトのローマ帝国への併合である。エジプト征服は貨幣の銘文や意匠を通して喧伝され、紀元前10年にはエジプトから運ばれた2基のオベリスクが都市ローマに日時計として、あるいは戦車競技場を飾るものとして据えられた。ケスティウスの墓もそのような征服の記念物なのであろうか。ケスティウス自身もエジプトに赴いたことがあり、南のヌビアにおいて縦長のピラミッドを目にしたという推測も

なされている。

　だがローマ人たちは、エジプトのピラミッドが驚嘆すべき建造物で、莫大な富を手にした太古の王の墓であることを知っていた。ケスティウスも己の財産と地位にふさわしいモデルを、はるか昔のエジプトに求めたのかもしれない。さらに彼が墓に持ち込もうとしたアッタリカと呼ばれた金刺繍布が、トルコに栄えたヘレニズム王国ペルガモンのアッタロス王の発明とされていたことを考えると、ケスティウスの目はエジプトだけに向けられていたのではなく、自らの存在を誇示するものをなんであれ利用しようとしたのかもしれない。

Borobudur

ボロブドゥール編

インドネシア、ジャワ島には仏教遺跡としての「ピラミッド」が残る。シャイレーンドラ王朝によって8世紀に築かれたこの寺院は、人々を悟りの境地に導く巨大な教化の装置であった。

著／下田一太

1
ボロブドゥール
Borobudur

Indonesia

悟りの境地へ導く
ピラミッド

Invites to a state of enlightenment

多数の浮彫パネルと500体以上の仏像が
配置された世界的にも他に類を見ない
段台ピラミッド状の大建築ボロブドゥールは、
いったいどのような構想にもとづいて
造営されたのだろうか？

インドと中国という2つの古代文明を繋ぐ南海交易のルート上の各地では、紀元後よりヒンドゥー教や仏教が伝播し、各地でその地域の信仰と習合した特徴的な建築や彫像が形作られた。古くより稠密な人口を擁し、歴史文化の拠点であったジャワ島も、そうした地域の一つである。7世紀後半には石造りの寺院が次々と建立されるようになるが、ボロブドゥールはそうしたジャワの古代造形芸術を代表する遺構の一つである。

ボロブドゥールはジャワ島のほぼ中央、海岸より内陸へ40kmほどに位置する。今日では約40km離れた古都ジョクジャカルタより容易に訪れることができるが、かつてこの聖地への遠方からの来訪は、困難な巡礼そのものであったと考えられる。一面の椰子林に覆われた「ジャワの庭」と称され

る風光明媚なケドゥ盆地のほぼ中央に位置するボロブドゥールからの眺望は、釣鐘状の小ストゥーパと、盆地の周囲を縁取る3000m級の秀峰の鋭い稜線とが連なる壮麗なパノラマであり、まさに聖域の中心に佇む思いに満たされる。

ボロブドゥールは6層の方形の段台の上部に3層の円壇が載り、最上層には中央ストゥーパが天を衝いて配される。一辺約120mの方形平面で、全高は中央ストゥーパの頂部が遺失しているために不確かだが、42mに達したものと推測されている。近くを流れるプロゴ河、エロ河の転石であった安山岩を材料とする石積みである。石材は比較的小さく、厚さはおよそ22~23cmに統一され、一人で持ち上げることもできるサイズだが、そのボリュームは55,000㎥、使用されたブロックの数は

ストゥーパ（仏塔）が並ぶ最上層。全高は42mにも達するとされる。

左／ボロブドゥールの遠景。使用され
たブロックの数は75万個にも及ぶ。
右／ボロブドゥールの平面図

75万個に及ぶとされる。

　自然の小丘上に築かれているが、丘の上に土を
厚く盛って、石積みの基礎としたことが、確認さ
れている。盛土の厚さは最大で12mに及び、不整
形な自然丘の上面が整えられた。ボロブドゥール
が西欧によって発見されたのは18世紀前半に遡り、
やがて19世紀にはラッフルズらを中心とした学
術的調査が開始されるが、この時、遺構は崩壊の
危機に瀕していた。小丘上の盛土の沈下に伴う石
積みの変形が、熱帯雨林の強烈な降雨によって加
速的に進行していたのである。

　20世紀に入り、複数回の修復工事が行われたが、
特に1970-80年代に実施されたユネスコを中心と
する国際的な修復工事によって、ボロブドゥール
は建立当時の姿を取り戻したのである。

廻廊に描かれた長大な絵巻物

　ボロブドゥールという段台ピラミッド型の建造
物には、長大な参拝路が組み込まれている。下層
の段台は4重の廻廊となっており、この壁面に彫
刻された浮彫パネルを読み解きながら参拝者はこ
れを下層から上層へとめぐる。

　最下層の第一廻廊は、ピラミッド中央側の主壁
に上下2段、外側の欄楯壁にも上下2段のパネル
が彫刻され、計4段のパネルを時計回りに順に見
ていくことになる。つまり、参拝者は第一廻廊だ
けで4周することが求められるのである。第二廻
廊から第四廻廊までは主壁と欄楯に一段ずつのパ
ネルとなるので、それぞれ2周することになる。
このように、参拝者は全ての廻廊で計10周するこ

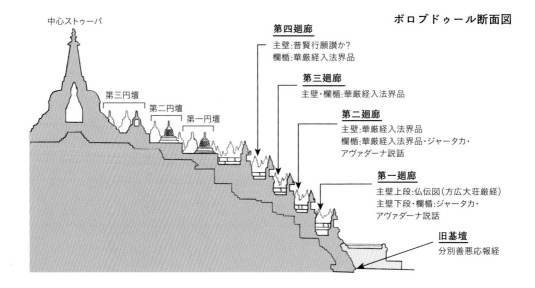

中心ストゥーパ

第三円壇

第二円壇

第一円壇

第四廻廊
主壁:普賢行願讃か?
欄楯:華厳経入法界品

第三廻廊
主壁・欄楯:華厳経入法界品

第二廻廊
主壁:華厳経入法界品
欄楯:華厳経入法界品・ジャータカ・アヴァダーナ説話

第一廻廊
主壁上段:仏伝図(方広大荘厳経)
主壁下段・欄楯:ジャータカ・アヴァダーナ説話

旧基壇
分別善悪応報経

ととなり、総距離は4kmに達する。

　この周回の間に参拝者は2000面以上もの浮彫パネルと対峙する。現在でも1500面以上のパネルが保存されている。それらは第一廻廊主壁上段の釈尊の生涯を描いた「仏伝図」に始まり、第一廻廊の残りの壁面と第二廻廊の欄楯に続く釈尊の前世の善行を説いた「ジャータカ(前生物語)」と一般信者に釈尊の教えを分かりやすく説くたとえ話である「アヴァダーナ説話」、そして第二廻廊の残りのパネルから第四廻廊の欄楯までは善財童子(スダーナ)と呼ばれる青年が数々の聖者を訪れて学びを得る旅路を描いた『華厳経入法界品』と続く。そして第四廻廊の主壁には普賢菩薩の行と願を説く「普賢行願讃」が描かれて、この長い廻廊の物語が締めくくられる。

　こうした浮彫パネル描かれた物語は、多くの研究者によって解読が試みられてきたが、未だ特定されていないパネルが300面以上残されている。解読が困難であることにはいくつかの理由がある。一つにはジャワ人の気質あるいはボロブドゥールの宗教的性格によって、物語に含まれている過激な場面や表現を避けたことから、本来の主題が不確かなものになっているためである。また、浮彫に登場する数々の登場人物の表現が、異なるパネルによって一貫していないために特定が困難だという理由もある。さらに、各浮彫パネルが横長であるため、各場面の主題とは異なる描写が余白に多く描かれることで主題が不確かになっているこ

とも原因とされる。こうした悩みは、現在の研究者に限らず、おそらく往時ボロブドゥールを訪れた参拝者もまた同様であったことだろう。そのため、おそらく参拝者には絵解きの専門ガイドとしての僧侶が付いて、案内役を務めたことも想像されよう。

ボロブドゥールはいつ建立されたのか?

　建立年代を記した碑銘や文献が発見されていないボロブドゥールであるが、浮彫パネルがこの問いを解く手がかりを与えている。第一廻廊のさらに下層の基壇足元には、実はもう一段浮彫パネルが基壇をぐるりと周回して彫刻されている。このパネルは彫刻途中で放棄され、未完成のままに一回り大きな基壇の石積みに覆い隠されることになったが、そのために建設途中の石材加工の様子を知ることのできる貴重な部分となった。現在では、南東隅で部分的に旧基壇を見ることができる。

　隠された旧基壇の壁体には、合計160面の浮彫パネルによって、『分別善悪応報経』が作画されている。これは、人間の善行悪行は必ず報いを伴うものであることを教えるものである。善悪の行為は、深層意識の中に種子として蓄積され、時期が到来すると善悪の果報が生ずることとなり、それは時として死後の天国と地獄における報いとなって自らに返ってくる。これらの浮彫パネルは、地獄の責苦の恐ろしさを説くことによって人々を

飲酒による因果応報
パネルの左には大きな2つの酒壺が彫刻され、大酒飲みの男が座っている。右にはこの男が酒によって病気になり、看病する家族に不幸が及んでいる様子が見られる。釈尊は根本的な戒めとして五戒を説いたが、その一つ、酒を飲むことによる不幸を描いている。

悪い顔の男たち
怒る人、うれいの多い人は醜い顔相となって表れることが仏典には説かれているが、このパネルの男たちは見るからに醜い顔をしている。パネルの上にはカウイ文字によって「悪い顔（Virupa）」と記されている。

第二廻廊
第一廻廊
隠された浮彫面
勾欄上の仏龕（ぶつがん）
寺院（内部に坐仏像）
20世紀初頭の修復による基壇
付加された基壇

教化することを目的とされている。

この未完成の浮彫パネルには、各面にどのような場面を彫刻するのか指示した短い刻銘が残されている。サンスクリット語であるが、彫刻が完成すれば削り取ることとなる一時的なもので、語尾の変化を省略したカウイ文字という簡易文字が利用されていた。これらの文字の分析から西暦778年から847年の間の書体であることが明らかになっている。彫刻の美術様式からは中部インドのグプタ期の系統に属することも指摘されており、各方面からの研究を総合すると、ボロブドゥールは8世紀の後半に着工され、遅くとも9世紀の中頃には完成していたとされ、複数の治世者によって建設事業は引き継がれて完成に至ったものと考えられる。

さて、基壇を拡張する建設過程での計画変更はなぜ生じたのだろうか。当初の基壇には、天国と地獄の浮彫パネルが施されている他、壁体のくり型装飾も充実しており、拡張された基壇と比べて

より入念な仕事であった。計画変更の理由として定説となっているのは、段台ピラミッドの下部がかなり急傾斜で立ち上がっていたために、建設工事の途中で石積みが崩落し、基壇回りの構造強化が必要になった、というものである。しかしながら、それだけの理由であれば、途中まで彫刻した浮彫パネルの石積みを解体して、新たな基壇に組み込むことも可能であったわけで、本質的な理由は別であったと考えるべきではないだろうか。つまり、長い建設工事の期間に、天国と地獄という主題が寺院の総合的な構想と適合しなくなったことがより重要な計画変更の理由であったように思われる。

現世の行いによって死後にその報いを受けるという教えは、大衆にとって分かりやすいものであるが、醜悪な現世での行いや地獄における残酷な刑罰を、この聖なる建造物に刻みたくない、という想いが生じたような気がしてならない。

釈尊の生涯（仏伝図）

　参拝者がボロブドゥールにおいて最初に目にする浮彫パネルは、第一廻廊の主壁に連なる釈尊の生涯を描いた物語、仏伝図である。二世紀中頃には成立した仏伝としては最も古い経典『方広大荘厳経』に基づいていると考えられている。仏伝図は中央アジアの仏跡をはじめとして、各地で好んで描かれた題材である。

　ボロブドゥールでは120枚の浮彫パネルによって釈尊の人生の前半部が描かれている。釈尊が降誕する前の天上世界の場面に始まり、釈尊が誕生し、シャカ族の皇子として不自由なく奔放に育ち、しかしそうした生活を捨てて出家し、苦行し、悟りを開き、そして初めての説法である初転法輪までの過程が描かれた。仏伝図の多くは、その後の説法や涅槃までが描かれることから、やや唐突に物語が終わってしまうように感じるかもしれない。しかし、ボロブドゥールは最古の仏伝となる『方広大荘厳経』が初転法輪で終わっていることに忠実であった。ただし、第一廻廊の欄楯に描かれたいくつかのパネルには、釈尊の晩年から涅槃、そしてその後の遺骨分配や塔建立の場面を描いているとみる説もある。

　この釈尊の生涯を描いた仏伝図は、出家以前の快楽に満ちた生活も、出家後の苦行生活も悟りをもたらすものではなく、どちらにも偏らない中道こそが最も根本となる釈尊の思想であることを伝えている。ボロブドゥールへと足を踏み入れた参拝者は、堂内で最初に読み解くこととなるこの廻廊において、釈尊の生涯を読み解きながら、自らも悟りへの歩を進めることになる。

代表的な浮彫パネル

摩耶夫人の霊夢
浮彫中央に横臥している摩耶夫人は、強い霊感によって、尊い人が体内に宿ることを感じた。浮彫の左上には夫人のお腹に入る天界から降下した釈尊が白象の姿をとって描かれている。

釈尊の誕生
摩耶夫人の右脇腹から生まれた釈尊は、すぐさま7歩歩み「天上天下唯我独尊」と語られた。歩んだ7歩の足元には、大地が割れて現れた蓮華が表現されている。

釈尊の四門出遊
太子であった釈尊は、王城の東西南北の四つの門から郊外出かけ、各門の外で老人、病人、死者、僧侶に出会い、人生の苦しみを目の当たりにし、逃れ難き事実に恐怖することで出家を決意した。4面の浮彫で、それぞれの出会いが描かれているが、これは東門の外で老人と出会った時のもの。

釈尊の出城
釈尊が愛馬カンタカに乗って夜間にひっそりと城を出る場面。飛天が同伴し、馬の足元は蓮華によって諸天が支えている。釈尊25歳のときのことという。

釈尊の降魔成道
出家した釈尊は6年間にわたって苦行を続けるが、魔王マーラがまつわりつく。このパネルではマーラとその凶暴な軍隊との戦いの場面が描かれている。結跏趺坐する釈尊に向かって射られた矢は、その途中でことごとく花弁と化しており、悪魔の攻撃や誘惑を払いのけ、悟りを開くことなる。

釈尊の初転法輪
鹿野苑で行った釈尊による初めての説法の場面である。右に菩薩、左に比丘が座し、釈尊が始めた説法を聴聞している。残念ながら釈尊の右手が破損しているが、人差し指と親指で輪を結んでかざす説法印を結んでいたと考えられる。

ジャータカ（前生物語）

大乗仏教では、悟りを開くためには、他人が幸せになるための行いである「利他行」を多く積み重ねなくてはならないとされる。そのためには自己犠牲が求められることも多い。第一廻廊の主壁以外のパネルと第二廻廊の欄楯では、釈尊が埋まれる前に繰り返した無限の利他行の物語であるジャータカやアヴァダーナが描かれている。

シビ王物語
善政を施すシビ王の心を試そうとする帝釈天は、鷹に襲われた鳩をシビ王の眼前に逃げ込ませた。鳩を食おうとする鷹に対して、王は鳩と同量となる自身の股の肉を切り取って鷹に与えた。パネルの右端にシビ王、中央の木の枝に鷹が止まり、左の秤の片側には鳩がのっている。

善財童子の求法の旅（華厳経入法界品）

第二廻廊から第四廻廊にかけての浮彫パネルには、長者の男子であった善財童子という名の青年が53人の人々を訪ねて、真理を求める教えを請い、究極の境地に到達する物語が連綿と描かれている。日本における東海道五十三次はこの話に基づいていると考えられることもあるが、事の真相は定かではない。童子が訪ねた53人には、菩薩、神の子、女神、修行僧、仙人、国王等の他に、商人、資産者、工人等がおり、さらには少年、少女、隷民、そして遊女までもが含まれていた。ボロブドゥールにはこうした人々と出会い、教えを請う童子の姿が克明に彫刻されており、参拝者は長い廻廊を巡りながら、善財童子が精神的智慧を求めて歩んだ段階を同伴するのである。ボロブドゥールの長大な廻廊は、善財童子が長い旅路の最後に最高の師である普賢菩薩に会い、絶対の真実に至ることで幕を閉じる。

第二廻廊から第四廻廊の浮彫パネルには、善財童子の長い悟りの旅を描かれている。

左／インド中部・サーンチーのストゥーパ（仏塔）。
右／スリランカ・アヌラーダプラにあるアバヤギリ・ダーガ。高さ74mでスリランカでは現存するストゥーパでは最大を誇る。

左／ミャンマー・ヤンゴンのシュウェダゴン。
中／中国・西安の郊外にある大慈恩寺・大雁塔。652年の建造で、高さは64m。
右／滋賀県大津市にある石山寺の多宝塔。1194建造で 日本最古の多宝塔とされる。

ボロブドゥールは
ストゥーパ（仏塔）だったのか？

　浮彫パネルによって仏教の教えを説くこのボロブドゥールの段台ピラミッドというフォルムはいったい何を意味しているのだろうか。

　このフォルムが、仏塔つまりストゥーパであったという見解は広く支持されている。ストゥーパとは、本来、王族や貴族などの墓であり、半球状の盛土の上に日傘を差し掛けたものであった。これが後に釈尊の遺骨やその代替物を含む舎利を安置し、それを礼拝するための記念建造物となった。紀元前3世紀頃に建立されたインドのサーンチーに残された半球形の盛塚状のストゥーパは最初期の遺構である。ストゥーパは建立された後に、当初の建築を核に増築を重ねていくことが多く、それを増拡という。スリランカでは増拡を重ねて巨大化する傾向が顕著だが、かつては100m以上の高さに達するストゥーパもあったとされる。

　ストゥーパは各地でそのフォルムや材料を変え、ミャンマーやタイに見られる煉瓦や石造の釣鐘状のものや、中国や日本の多層の建築など、多様な形態へと発展した。日本国内に限ってみても、五重塔や三重塔に加えて、当初の半球形の名残を見せる多宝塔、そして多層化した石塔など、様々なものが造られた。仏教の伝播とともに、各地の信仰や造形的な嗜好に感応し、当地の材料や伝統技法によって変化を重ねたストゥーパの地理的展開は興味深い。

　ボロブドゥールもまたこうした多様化したスト

ボロブドゥール全景
ボロブドゥールはアジア各地で多様な発展
を遂げたストゥーパの一形式であり、古代
ジャワ文化の豊かな想像力と高度な構想力
が結実した造形芸術であった。

ゥーパの一つの類型である。しかし、ストゥーパ
の本質が、舎利を奉納することだとすれば、ボロ
ブドゥールは果たしてその要件を満たしているの
であろうか。例えば、日本の五重塔であれば、飛
鳥寺や法隆寺の五重塔を始めとして舎利容器が塔
心礎より発見されており、これがストゥーパであ
ることは確かに証明される。

　舎利を蔵した容器を納めた位置はストゥーパに
よって様々で、インドの半球状ストゥーパ場合に
限っても、塔の中軸線状にあることは共通するが、
平頭や覆鉢の中などから確認されており一様では
ない。東南アジアではタイのストゥーパで舎利容
器が発見される例があるが、ストゥーパ直下の基
壇内部の地下室に納められていることが多い。地
下室には舎利を納めた金銅製の容器と共に、陶磁

器、指輪、宝石類等、多数の奉納品が発見される
ことがある。一方、ボロブドゥールでは、これま
でに舎利容器は発見されていない。中央ストゥー
パの内部には小さな密室が確認されており、未完
成の石彫仏像や小金銅仏が発見されたと伝えられ
ているが、盗掘者に荒らされた後のことであり、
それらの遺物が建立当初のかどうか定かではない。
あるいは、ボロブドゥールが立つ自然丘陵の頂上
に舎利容器が納められ、その上に盛土をしてこの
大構造物を建立した可能性も推測されるが、これ
を確かめる手立てがなく、今では半永久的な謎に
包まれている。

　さて、ボロブドゥールがストゥーパであると考
える場合にも、大きく２つの捉え方がある。一つ
目は９層の段台はストゥーパの台座であって、そ

の上面に立つ中央ストゥーパがストゥーパそのものであるというものである。例えば、日本の五重塔では、塔頂部を飾る相輪がストゥーパ全体の表現であり、五重の木造部はその台座であるのと同様である。一方で、ボロブドゥールという大建造物を一つのストゥーパとみる考え方もある。この場合、下5層の方形廻廊が基壇、上3層の円壇が覆鉢、最上段に立つ中央ストゥーパは平頭以上の部分に対応しているとみる。サーンチーのストゥーパにおいても基壇周りには欄楯を巡らせ、周回

する空間が設けられている。ストゥーパにおける参詣とは、その周囲を幾度となく回る行為を伴うものと考えられる。修行者は周回を重ねるうちに、右手にあるストゥーパの巨大な塊と自身とが徐々に一体化する意識にとらわれ、没我の境地に導く装置でもあった。

　ボロブドゥールをどのようにストゥーパとして読み解くのか疑問は残されるが、インドに端を発したストゥーパはアジア各地で大胆な突然変異を繰り返し、多様な姿へと至ったのである。

日本におけるユニークなストゥーパ「頭塔と土塔」

日本では五重塔として形作られたストゥーパは良く知られているところだが、ボロブドゥールと同様に段台ピラミッド型のストゥーパが存在することはあまり知られていない。ボロブドゥールとほぼ同年代、正確にはやや先行して建立されたと考えられている二基のストゥーパを紹介しよう。

　一つ目は奈良の東大寺南方1.7kmに位置する頭塔である。760年に着工し767年に完成したとされる。基壇の上に7層の段を設け、最上壇に八角平面の堂が配された。基壇は一辺32mで最上壇までの高さは9.1mである。各段には石板へ仏教説話を刻む浮彫パネルが配置されており、まさにボロブドゥールの廻廊と共通した構想であった。

　もう一つは、大阪の堺市に位置する土塔である。

奈良・東大寺の南（上）、および大阪・堺市（下・復元イメージ）には四角錐、つまりピラミッド型のストゥーパがあった。いずれも8世紀に建造されたものだ。

727年の建立とされる。基壇上に12層の段を設け、頂部には頭塔と同様に八角形の堂が載っていた姿が復元されている。周辺からは各層に葺かれていた瓦が多数出土しており、版築による盛土の上一面は瓦葺であった。一辺が約53m、最上壇の高さは9m程である。

ボロブドゥールは
はたして曼荼羅だったのか?

　ボロブドゥールという段台ピラミッドのフォルムは、密教の思想や宇宙観を図像化した立体曼荼羅を具現したものと考える向きも強い。立体曼荼羅といえば、京都の東寺の講堂内に立ち並ぶ仏像諸尊を思い出す方も多いだろう。ボロブドゥールには504体もの仏像が幾何学的に整然と配置されている。それらの仏像の配置にもとづき、曼荼羅として表現された思想や仏像の尊格、依拠している経典の特定について多くの研究者が議論を重ねてきた。

　ボロブドゥールの仏像は、印相の違いによって6種の尊格に分類される。基壇から第3廻廊の主壁上の仏龕には、東西南北の各方向で異なる印相の仏像がそれぞれ92体ずつ安置され、東面に「触地印」、南面に「与願印」、西面に「禅定印」、北面に「施無畏印」を結ぶ仏像が配される。
印とは、特定の手の形によって人間の活動や感情を表現するインド古来の習慣から生じたもので、仏伝の主要な場面における釈尊の手の形が図像化

したものである。例えば、触地印は釈尊が悟りを開く前に、魔王の誘惑を受けたとき、右手を地面に触れて大地の女神を呼び出し、魔王を退散させた故事に基づいている（P139の降魔成道の場面で釈尊が触地印を結んでいることを確認していただきたい）。第4廻廊では四方の主壁上に「説法印」の仏像が64体、そしてさらに上段に位置する円壇上の小ストゥーパ72基の中には「転法輪印」の仏像が配されている。

　こうした印相を結ぶ仏像の尊格については複数の説があるが、これらの仏像が『初会金剛頂経』に依拠した曼荼羅だとする説についてはほぼ異論がないところである。この経典は7世紀末に成立し、8世紀半ばには漢訳も終えていたとされ、ボロブドゥールの建設に着手した当時における最新の宗教思想であった。

　この経典をもとに描かれた「金剛界曼荼羅図」の仏像と照らし合わせると、4面に異なる印相を結ぶ仏像の尊格は、東に「阿閦如来」、南に「宝生如来」、西に「阿弥陀如来」、北に「不空成就如来」であると解釈される。西方浄土に阿弥陀如来が配されているのは、平等院鳳凰堂や浄瑠璃寺のよう

円壇上の小ストゥーパ内に安置された仏像。転法輪印を結んでいる。

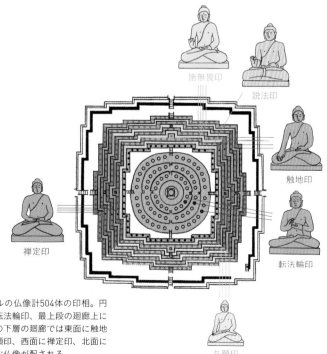

ボロブドゥールの仏像計504体の印相。円壇上の仏像は転法輪印、最上段の廻廊上には説法印、その下層の廻廊では東面に触地印、南面に与願印、西面に禅定印、北面に施無畏印を結ぶ仏像が配される。

朝日に照らされたボロブドゥールの東面。廻廊上
の仏龕には触地印を結んだ仏像が並んでいる。

に日本の浄土式寺院にも共通するところである。

　この上層に位置する二種の仏像については、ま
だ十分に見解が定まっておらず諸説がある。広く
紹介されているのは、第四廻廊上の仏像は毘盧舎
那如来、円壇上の仏像は釈迦牟尼如来とする説で
ある。これは、古代ジャワ仏教の聖典である『聖
大乗論』において、上述の阿閦をはじめとする四
如来や毘盧舎那如来が、釈迦牟尼から生じたもの
とされていることに基づく。ただ、ボロブドゥー
ルが悟りを誘う建築だとすれば、より確からしい
見方もあるので紹介しておきたい。

　ここで改めてボロブドゥールの仏伝図を見てみ
よう。浮彫パネルに描かれた説法をする釈尊の姿
は、初転法輪の場面を始めとして（前ページ図版
を参照）いずれも説法印を結んでおり、転法輪の
姿で描かれている釈尊はいない。つまり、説法印
を結んだ第四廻廊上の仏像は釈迦牟尼如来だと見
るのがより理に適っていることになる。また、毘
盧遮那如来は智拳印か定印か法輪印をとることが
一般的であることから、円壇上の法輪印を結ぶ仏
像こそが毘盧遮那如来と見る方が自然である。
善財童子の求道の長い物語が廻廊の多くを占めて
いることからも、ボロブドゥールの根本思想は、

この物語を記した華厳経であったことは疑いよう
もないが、華厳経において釈尊は悟りを開いた直
後に毘盧遮那如来になると記されている。ボロブ
ドゥールの方形の廻廊を抜けて円壇へと至るとい
う行為は、まさに釈尊が悟りを開き成道をなし得
た過程を具現したものであり、釈迦牟尼如来から
毘盧遮那如来へと仏像が展開したとみるべきであ
ろう。釈尊は悟りを開くと毘盧遮那如来となって、
多くの如来と共に宇宙の中心に聳え立つ須弥山上
の楼閣に座したとされる。その配置は四方を向い
て阿閦如来、宝生如来、阿弥陀如来、不空成就如
来が座し、中央に毘盧遮那如来が配された。ボロ
ブドゥールの仏像群は、この配置に加えて、釈尊
が毘盧遮那如来となった過程を組み込んだものと
考えられるのである。

　ボロブドゥールとは、このように普遍的真理に
満ちた悟りの宇宙観の縮図であった。この立体曼
荼羅の中に修行者は身を置き、廻廊を巡り、ある
いは瞑想することで、視覚的、体験的に真理の世
界全体を認識することができた。そして修行者と
真理の世界は同一なものであるとする悟りの境地
に至るのである。

曼荼羅を具現化したピラミッド型建築

ウダヤギリの仏塔（インド）

　密教美術の起源ともされるオリッサ州には、四方に仏像を配したストゥーパが残されている。残念ながら崩壊が著しく当初の外観を留めていないが、方形の基壇上には7m程の煉瓦遺構が載る。このストゥーパの四方の壁龕には、東に触地印、南に与願印、西に禅定印、を結ぶ仏像が安置され、それぞれ阿閦如来、宝生如来、阿弥陀如来に比定され、ボロブドゥールと共通する仏像の配置である。一方、北側の仏像もまた禅定印を結ぶが、この地域に特有のスタイルから、この仏像は大日如来であるとされる。北面が大日如来とされた理由は明らかではないが、最も勢力の弱かった不空成就が、この地域で熱心な信仰を獲得していた大日如来に置き換えられたとも考えられている。

ケッサリアの大塔（インド）

　インド北東のビハール州では、大型のストゥーパが近年いくつか発見されている。中でも注目されるのは1998年に発見され、今でも発掘調査が進められているケッサリアのストゥーパである。煉瓦造のこの建造物は、直径約120mの円形平面で、高さは現存する部分で33m、当初は45mに及んだと推測されている。段台状の基壇は多数の壁龕が連なり、それぞれに仏像が配されていたようである。残念ながら、中世にイスラム教徒による破壊で甚大な影響を受けたため、当初の構造や建立年代は不確かであり、仏像の尊格の配置を読み取ることができないが、4世紀頃の建設とみる説が有力である。

　ボロブドゥールが古代ジャワにおける創造力の精華であることに変わりはないが、仏像群に加護された段台ピラミッドの基壇上にストゥーパを配置するというボロブドゥールの構想には、前段階的な発展の経緯があったことも確からしいのである。

ペンコルチューデ仏塔（チベット）

　チベットはインドに生まれた曼荼羅の発展を最も良く今に伝える国である。中でも、1427年に建立されたペンコルチューデ仏塔には、極めて多くの曼荼羅図が残されており、その建築自体もまた立体曼荼羅としてデザインされた。ペンコルチューデ仏塔はボロブドゥールと同じく9層よりなる。基底から第4階までの計5層を基壇とし、外側には廻廊が巡らされている。5階は円筒状の覆鉢、6階には方形の平頭、そして7、8階が円錐状の相輪となる。最上層の9階は解放されたテラスとなり、その上に宝瓶が配される。テラスまでの高さは37m、宝瓶の頂部までの全高は約42mとなり、奇しくもボロブドゥールと同じ立体構成と高さの建造物である。ただし、ボロブドゥールが室内空間を持たない露壇であるのに対して、ペンコルチューデの各層には多数の壁龕や室が設けられている点で大きく異なる。ここには2万点以上の曼荼羅図を含む仏画や仏像が祀られており、緻密に整備された密教世界が表現されている。

チベット・ペンコルチューデ仏塔。6階部分の平頭の四面には眼と眉と白毫が描かれ、仏塔そのものが仏の身体として表現される。

ネパール・ポカラにあるチベット寺院天井の曼荼羅絵。チベット寺院では曼荼羅図を良く目にする。

悟りを求める登頂のためのピラミッド

　これまでにボロブドゥールがストゥーパや立体曼荼羅として構想されたことを確認してきた。加えて、この圧倒的なボリュームの寺院は、ジャワという地域で古くより育まれてきた山への信仰を習合した建築でもあった。

　山岳信仰は世界各地に認められる信仰だが、日本人にとってなじみが深い。豊かな山々に恵まれた日本人の精神文化の根底には、山への畏敬の念が深く息づいている。ジャワ島もまた3000m級の山々が展開し、先史より山は神聖視され崇拝の対象とされてきたようだ。そうした信仰の証左として、山頂や山中には地域固有の信仰の場が古くより築かれてきた。

　ジャワ島西部の山中に築かれたグヌン・パダンは、尾根上の傾斜地に約120mの長さにわたって5段のテラスが整地された。自然地形を利用した変則的な段台ピラミッドである。各テラス上には玄武岩の柱上石材によって複数の施設が設けられている。築造年代は不確かだが、仏教やヒンドゥー教とは異なる土着的な信仰儀礼の場であったとされる。

　レバッ・チベドゥもまたジャワ島西部の山中に築かれた。複合的な宗教施設群の最奥には、ボロブドゥールと同数の9層からなる石積みの段台ピラミッドが築かれた。最下段は19m四方で、ピラミッドの全高は6m程に過ぎないが、地形を活かした立地によってピラミッドは実際の規模以上の存在感である。ここもまた外来の宗教とは隔絶した信仰の場であったと考えられている。こうした遺構上にはメンヒル（立石）が配され、死者の霊魂が降臨する依代とされたようで、日本古来の祭祀場であった磐座にも類似する。

　こうした在地の信仰とインドからの外来宗教は後に平和裏に習合したようだ。仏教と並んでインドより受容したヒンドゥー教もまた、山地に寺院を多く構えた。ジャワにおける最初期のシヴァ教の聖地であったディエン高原やグドン・ソンゴ（7世紀末から8世紀初頭）、グヌン・ウキル（8〜9世紀）はいずれも高地に位置している。

　ボロブドゥールもまた自然の丘の上に盛土して建立されたが、こうした事例を鑑みるとこの丘が先史から重要な信仰の地であったことは想像に難くない。信仰の場であった丘陵地形に段台状のピラミッドを建立し、廻廊を何重にも巡らせて、長

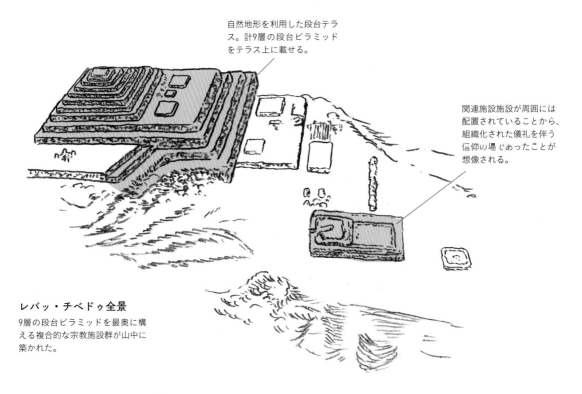

自然地形を利用した段台テラス。計9層の段台ピラミッドをテラス上に載せる。

関連施設施設が周囲には配置されていることから、組織化された儀礼を伴う信仰の場であったことが想像される。

レバッ・チベドゥ全景
9層の段台ピラミッドを最奥に構える複合的な宗教施設群が山中に築かれた。

い登頂のための動線を設けた。ボロブドゥールは登るという行為を目的化した人工の山として企画されたのである。

廻廊の浮彫パネルに彫刻された華厳経の教えでは、菩薩の修行は心の向上する10の段階に分けて説かれている。中央ストゥーパを含めて10段で構成されたボロブドゥールは、この菩薩修行の10段階を表しているとみる説がある。長い修行の段階は、ピラミッドの段台として実体化されたのである。このように、ボロブドゥールは明らかにこの地域に長きにわたって継承されてきた山への信仰を、最先端の仏教思想に重ねて具現した創造的建築だった。

さらにいえば、ボロブドゥールを建立したシャイレーンドラという王朝名は、サンスクリット語で「山の君主」もしくは「山からの王」を意味し、また建設工事を進めた治世者インドラ王（782-812）の名前は須弥山に住む神の名称でもある。

ボロブドゥールは仏塔であり曼荼羅であり、そして山でもあった。これら信仰は、世界的に他に類をみない造形と精緻な彫刻芸術によって総合化され、人々を悟りへと誘う教化の装置を創造した。

ボロブドゥールは、寺院全体によって大乗仏教の欲界、色界、無色界の三界を表現していると考えられている。つまり、「分別善悪応報経」という欲望による冷酷な業の因果から脱する道を説いた旧基壇が〈欲界〉。「仏伝図」という釈尊の悟りを開く道程や、悟りに不可欠な利他の蓄積を説いた「ジャータカ」、そして善財童子の求道を説いた「華厳経入法界品」等を描いた廻廊基壇が悟りを追求する〈色界〉。さらに悟りを開いて成道した毘盧遮那如来の偏在する円壇上は精神世界となる〈無色界〉である。

稠密な彫刻壁面に囲まれた廻廊の閉鎖空間を長きにわたって歩んできた修行者は、ついに円壇上に至って遠くの山々が望める広大な空の下に開放される。回廊内の閉鎖的で動感あふれる彫刻空間から、単純明快なフォルムのストゥーパ群に囲まれた円壇上の静的な開放空間への劇的な変化。修行者はここに至って大光明に満ちた悟りへと昇華する。ボロブドゥールは様々な信仰と思想を重層し、圧倒的な体験を通じて修行者を悟りに導く巨大構造物だったのである。

ジャワ島中央に位置するディエン高原。標高2000m以上の山中深くに7世紀末から8世紀頃のヒンドゥー教寺院が立ち並ぶ。

**ボロブドゥール
円壇上からの眺望**
長大な廻廊を経てピラミッドの最上段へ至った修行者は、円壇上にて悟りの境地に達する。ボロブドゥールは聖地にふさわしい荘厳な空気に包まれている。

ピラミッドの調査の歴史

河江肖剰

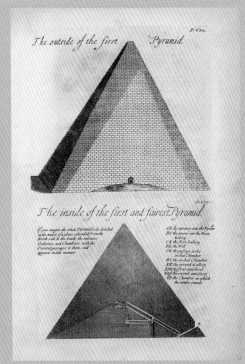

ジョン・グリーヴズの『ピラミドグラフィア：エジプトのピラミッドの描写』（1646年）に載せられた大ピラミッドの断面図。

フリンダーズ・ピートリの『ギザのピラミッドと神殿』（1883年）に載せられたクフ王とカフラー王のピラミッドの断面図。

測る者たち

　一般に考古学は発掘によって様々な物質文化を見つけるのが主な作業だというイメージがある。しかしそれ以上に重要なのが記録するという作業である。自然科学の本質は観察にあるが、考古学も元来、観て、測量し、記録することの積み重ねによって、古代の人間の営為を理解しようとすることにある。

　ギザのピラミッドをそのような思想に基づき記録した最初の人は、イギリスの数学者グリーヴズ（1602–52年）だった。彼は先駆的な学術感覚を持っており、当時、入手可能な最高の測量機器を用いて、ピラミッド内外を測り、ピラミッドが王墓であるということを唱えた最初の学者だった。

しかしこれはピラミッドの学術研究の幕開けとはならず、ナポレオンのエジプト遠征の際に行われた学術調査まで待たなければならなかった。1798年、ナポレオンは、150人以上の多分野に渡る専門家たちを遠征隊に同行させ、そこで実地調査を行い、その成果を『エジプト誌』という23冊の巨大な書物に纏めさせた。ギザでは、化粧板が剥がれた大ピラミッドの格段の高さなど上部構造の測量が行われたり、内部の詳細な調査が行われたりした。

　近代考古学の始まりは、包括的にギザの三大ピラミッドを測量した「エジプト考古学の父」フリンダーズ・ピートリ（1853–1942年）からである。彼は当時ヨーロッパで最も精巧な測量機器を揃え、ピラミッド群の測量調査を行い、三大ピラミッド

筆者が推進する3D計測調査によって生成された
メンカウラー王のピラミッドの精密平面画像。
（Giza 3D survey作成）

の外部と内部の記述と測量値、建築技術や人員組
織などを記した『ギザのピラミッドと神殿』を著
した。これは現在もピラミッド研究における啓蒙
書とされている。このピートリの測量データをア
ップデートしたのが、アメリカ人考古学者マーク
・レーナー（1950年-）である。彼はアメリカで
発展した「プロセス考古学」の影響を受け、ピラ
ミッド建造の謎を解くには、ピラミッド単体の情
報だけでなく、ギザ台地の地形全体の地図を作る
必要があると考え、そこから石切場、港、傾斜路、
そして人々が住んだ居住地を特定した。

　そして、近年の最新調査は、ピラミッドの石ひ
とつひとつが記録される、ドローンを用いた3D
計測調査や、X線で人体を透視するように、宇宙
線でピラミッドを透視するミューオングラフィー

ナポレオンの『エジプト誌』。当時最高の版刻技術と印刷
技術によって作られた美装本。現在はすべてデジタル化さ
れている。

調査などが行われている。ここではデータ取得は
理工的な手法が用いられ、そのデータの解釈は人
文学的に行うという方法が取られている。こうい
った調査によって、ピラミッドの構造解析が可能
となり、さらに内部にこれまで発見されなかった
未知の空間も見つかっている。

エジプト文字と
メロエ文字

宮川 創

（関西大学東西学術研究所
ポスト・ドクトラル・フェロー）

解読の歴史

古代エジプトのヒエログリフ（聖刻文字）の解読は、古代のホラポロンや中世のアラブの学者たちも試みたが、誰も成功しなかった。17世紀にはイエズス会士アタナシウス・キルヒャー（1601–1680）が、エジプトのコプト・キリスト教徒たちの典礼で使われていたコプト語が、ヒエログリフに書かれている言葉の末裔であることを見抜いていた。彼もまた解読を試みたが、ヒエログリフの形から連想される意味の解釈に囚われてしまい、誤った解釈に陥っていた。転機となるのは、18世紀にナポレオン軍がエジプト遠征時にアル＝ラシード（ロゼッタ）でロゼッタストーンと呼ばれるヒエログリフ（聖刻文字）・デモティック（民衆文字）・ギリシア語（ギリシア文字）が書かれた石碑を見つけたことである。

この石碑は、結局はフランス軍に勝利したイギリス軍によって接収され、現在に至るまでロンドンの大英博物館で展示されている。しかし、この石碑のヒエログリフおよびデモティック部分が、すでに分かっていたギリシア語部分と同じ内容を表していると考え、ヒエログリフ解読のヒントになるとその価値を見抜いたフランス人たちは、石碑の写しを発見後すぐに作成していた。写しの1つは、ナポレオンのエジプト遠征にも同行した、数学者・イゼール県知事ジョセフ・フーリエも所有し、それを若きジャン＝フランソワ・シャンポリオン（1790–1832）に見せたことが、若きシャンポリオンのヒエログリフ解読という歴史的な偉業の糸口となる。

シャンポリオンはこのロゼッタストーンなどから、ヒエログリフを解読する端緒を開いた。それまでカルトゥーシュが王名を示すことはわかっていた。そして、これに囲まれたヒエログリフにより書かれたギリシア人の王名の表音文字を糸口に、様々な資料のヒエログリフをコプト語との対応から解読していった。その結果、ヒエログリフは、表音文字、表語文字、決定符（表意文字）の3種類から構成される文字体系であることを解き明かした。シャンポリオンの後、ヒエログリフの更なる解読、そしてヒエログリフが書かれた言語である古代エジプト語の解明はプロイセンのカール・リヒャルト・レプシウス（1810–1884）が主導、ドイツで盛んになった。

ドイツでは、民衆文字と民衆文字エジプト語の解読を押し進めたハインリヒ・カール・ブルクシュ（1827–1894）、文法に基づいて古エジプト語、中エジプト語、新エジプト語を区分し、エジプト

ヒエログリフが1.表音文字、2.表語文字、3.決定符（表意文字）の3種から成ることを解き明かしたのがフランスの古代エジプト学者ジャン＝フランソワ・シャンポリオンだった。

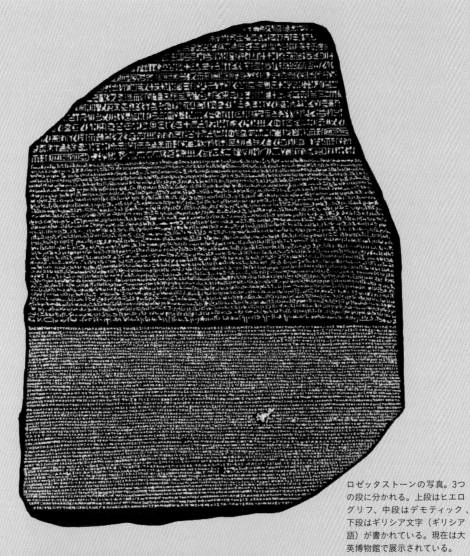

ロゼッタストーンの写真。3つ
の段に分かれる。上段はヒエロ
グリフ、中段はデモティック、
下段はギリシア文字（ギリシア
語）が書かれている。現在は大
英博物館で展示されている。

ロゼッタストーンのヒエログリ
フの部分、上から2行目の薬莢
のような枠で囲まれた部分はカ
ルトゥーシュと言われており、
プトレマイオス5世の王名が書
かれている。

語の文法を明らかにして行ったアドルフ・エルマ
ン（1854-1937）、その後は、エジプト語の動詞
体系を構造主義的に解明したハンス・ヤーコプ・
ポロツキー（1905-1991; 1935年にイスラエルに
移住）などが活躍した。
　エジプト文字にはヒエログリフ（聖刻文字）、
ヒエラティック（神官文字）、デモティック（民
衆文字）の三種があり、最古の記録は、アビュド

スU-j墓から発掘された象牙製のタグに刻まれた
古拙なヒエログリフである。これは放射性炭素年
代測定で紀元前3350年から3150年の間に作られ
たものであると言う測定結果が出ている。ヒエロ
グリフはその後、基本的には神殿や墓の壁や石碑
に刻んだり宗教書に書くための文字、すなわち、
最も神聖で権威のある文字として用いられた。書
く向きは上から下、左から右、右から左がある。

エジプト・ルクソール神殿の第1塔門。ラメセス2世の坐像が左右に並ぶ。

ヒエラティックは筆記用の文字で、主にパピルスやオストラカ（陶片）に右から左へ書かれ、日常の記録や、行政記録、手紙、時には『シヌへの物語』などの文学作品も記した。

　デモティックはヒエラティックをさらに草書化させた文字で、裁判記録などの行政記録や手紙など日常生活でも用いられたが、ロゼッタストーンにあるように碑文にも用いられた。

　一方、エジプトの南部やスーダン北部では、エジプト文字から派生されたと考えられるが別の文字体系であるメロエ文字が見つかっていた。メロエ文字にはヒエログリフを元にしたメロエ聖刻文字、そしてデモティックを元にしたメロエ民衆文字の2種類がある。メロエ文字は、イギリスのフランシス・ルウェリン・グリフィス（1862-1934）によって表音文字であることが解読されたが、その文字で書かれているメロエ語自体はまだ解明されていない。現在、ナイル・サハラ語族の言語であるとする説とアフロ・アジア語族の言語であるとする説があるが、ナイル・サハラ語族説の方がフランスのクロード・リリーの研究によって優勢である。

基本的な解読のルール

　ヒエログリフ・ヒエラティック・デモティックをまとめてエジプト文字と呼ぼう。エジプト文字は3つの種類の文字に機能別に分かれる。

　最初は最もよく使われる表音文字である。アルファベットも表音文字であり、アルファベットに近い文字を考えていただくとよいかもしれない。これは、音のみを表す文字であり、全く意味を含意しない。しかし、エジプト文字の表音文字は、基本子音のみである。これはヘブライ文字やアラビア文字など中東の諸文字にもよくみられるアブジャドというタイプの文字である。

　エジプト文字が特殊なところは、この子音だけの表音文字には、1つの子音のみを表す文字だけでなく、2つの子音、さらには3つの子音を表す文字があることである。表語文字はそれ自体が一語を表す文字である。その意味はその文字が象っているものかそれに関連のあるものであることが多い。決定符（限定符）は語末におかれ、その語のカテゴリーを表す。

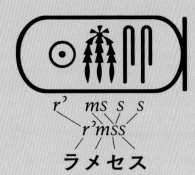

r' ms s s

r'mss

ラメセス

ラメセス王の名はカルトゥーシュに囲まれている。それぞれのヒエログリフの下にその文字の音を書き込んだ。ヒエログリフが表す音は子音のみである。そのためエジプト学者は適時母音を挿入して発音する。

メロエ文字		推定音価		メロエ文字		推定音価	
民衆文字	聖刻文字	Hintze	Rowan	民衆文字	聖刻文字	Hintze	Rowan
ꟼꟼ		a-				l(a)	
		e	曖昧母音			ch(a)	
		o	u			kh(a)	
		i		VII		se	s
III		y(a)				s(a)	s(e)
		w(a)				k(a)	
		b(a)				q(a)	
		p(a)				t(a)	t(e)
		m(a)				te	t
		n(a)	n(e)			to	tu
		ne	n			d(a)	r(a)
		r(a)	?	:	:	語の区切り	

メロエ文字の方は、完全な表音文字である。これはインド系の文字やエチオピアのゲエズ文字などアブギダと呼ばれる文字体系に近く、子音と母音（多くはa）の組み合わせを基本文字が表し、以下の表の左上から2〜4番目の母音文字を足してその母音を変える。この表では、フリッツ・ヒンツェ（表ではHintze）の読み方とカースティ・ローワン（表ではRowan）の読み方が対比されている。メロエ聖刻文字は縦にも横にも描かれるが、メロエ民衆文字は右から左へのみ書かれる。

主な参考文献

エジプト編
特集ページ（ピラミッドの調査の歴史）

▲Arnold, D. (1991). Building in Egypt: Pharaonic Stone Masonry. New York, Oxford University Press.

▲Burgos, F. and E. Laroze (2020). "L'extraction des blocs en calcaire à l'Ancien Empire. Une expérimentation au ouadi el-Jarf." The Journal of Ancient Egyptian Architecture 4: 73-95.

▲Dormion, G. (2004). La chambre de Chéops: Analyse architecturale. Paris, Fayard.

▲Dormion, G. (2013). La chambre de Meidoum : analyse architecturale. Grand Saconnex, Societe d'Egyptologie.

▲Firth, C. M., et al. (1935). Excavations at Saqqara; the Step pyramid. Le Caire,, Impr. de l'Institut français d'archéologie orientale.

▲Goedicke, H. (1971). Re-used blocks from the pyramid of Amenemhet I at Lisht, New York.

▲Haase, M. (2004). Eine Stätte für die Ewigkeit, wbg Philipp von Zabern in Wissenschaftliche Buchgesellschaft.

▲Isler, M. (2001). Sticks, stones, and shadows : building the Egyptian pyramids. Norman, University of Oklahoma Press.

▲Kawae, Y., et al. (2018). 3D Reconstruction and its Interpretation of the "Cave" of the Great Pyramid: An Inductive Approach. The Perfection That Endures: Studies on Old Kingdom Art and Archaeology. K. O. Kuraszkiewicz, E. Kopp and D. Takacs, Agade Publishing: pp.231-238, PL. XXXVII-XLII.

▲Kawae, Y., et al. (2014). 3D Reconstruction and its Interpretation of the "Cave" of the Great Pyramid: An Inductive Approach. The Sixth Old Kingdom Art and Archaeology Conference, Warsaw, Poland.

▲Kawae, Y., et al. (2017). The construction method of the top of the Great Pyramid. The Seventh Old Kingdom Art and Archaeology Conference, Università degli Studi di Milano, Italy.

▲Klemm, D. and R. Klemm (2010). The Stones of the Pyramids Provenance of the Building Stones of the Old Kingdom Pyramids of Egypt. Berlin/New York, De Gruyter.

▲Krauss, R. (1996). "The Length of Sneferu's Reign and how Long it Took to Build the 'Red Pyramid'." The Journal of Egyptian Archaeology 82: 43-50.

▲Lehner, M. (1985). "The Development of the Giza Necropolis: The Khufu Project." Mitteilungen des Deutschen Archäologischen Instituts Abteilung Kairo 41: 109-143.

▲Lehner, M. (1997). The Complete Pyramids. New York, Thames and Hudson.

▲Lehner, M. and Z. Hawass (2017). Giza and the Pyramids. Chicago, University of Chicago Press.

▲Lehner, M. and W. Wetterstrom, Eds. (2007). Giza reports: The Giza Plateau Mapping Project: Project History, Survey, Ceramics, and the Main Street and Gallery Operations Boston, MA, Ancient Egypt Research Associates.

▲Lesko, L. H. (1988). "Seila 1981." Journal of American Research Center in Egypt 25: 215-235.

▲Maragioglio, V. and C. Rinaldi (1963-77). L'architettura delle piramidi menfite. Torino, Tip. Artale.

▲Morishima, K., et al. (2017). "Discovery of a big void in Khufu's Pyramid by observation of cosmic-ray muons." Nature advance online publication.

▲Monnier, F. (2017). L'ère des géants: une description détaillée des grandes pyramides d'Egypte, Éditions De Boccard.

▲Monnier, F. and D. Lightbody (2019). The Great Pyramid: 2590 BC onwards (Operations Manual), Haynes Publishing UK.

▲Nicholson, P. T. and I. Shaw, Eds. (2000). Ancient Egyptian Materials and Technology. Cambridge ; New York, Cambridge University Press.

▲Reisner, G. A. (1942). A History of the Giza Necropolis Volume I. Cambridge,, Harvard University Press.

▲Reisner, G. A. (1955). A History of the Giza Necropolis Volume II. Cambridge,, Harvard University Press.

▲Tallet, P. (2017). Les papyrus de la mer Rouge I. le « Journal de Merer » (P. Jarf A et B). Cairo, Institut français d'archéologie orientale.

▲Verner, M. (2001). Pyramid. The Oxford Encyclopedia of Ancient Egypt. D. B. Redford. Cairo, The Amecican University in Cairo Press. 3: 87-95.

▲イアン・ショー＆ポール・ニコルソン（内田杉彦訳）、『大英博物館 古代エジプト百科事典』、原書房、1995.

▲大城道則「図説 ピラミッドの歴史」、河出書房新社、2014.

▲河江肖剰『ピラミッド：最新科学で古代遺跡の謎を解く』、新潮文庫、2018.

▲マーク・レーナー（内田杉彦訳）、『ピラミッド大百科』、東洋書林、2001.

テオティワカン編

▲Cabrera, R. C. (1996). Caracteres Glíficos Teotihuacanos en un Piso de La Ventilla. in La Pintura Mural Prehispánica en México, Teotihuacan Ⅰ. UNAM, México.

▲Cabrera, R.C., I. Rodríguez G., and N. Morelos G. eds. [1991]. *Teotihuacán 1980-1982: Nuevas Interpretaciones.* Instituto Nacional Antropología e Historia, México.

▲Coe, William. [1990]. *Tikal Report No.14 Volume IV: Excavations in the Great Plaza, North Terrace and North Acropolis of Tikal.* The University Museum, University of Pennsylvania, Philadelphia.

▲Cowgill, George L. [2015]. *Ancient Teotihuacan: Early Urbanism in Central Mexico.* Cambridge University Press, New York.

▲Fash, William L. and Ricardo Agurcia F. [1992]. *History Carved in Stone: A Guide to the Archaeological Park of the Ruins of Copan.* Instituto Hondureño de Antropología e Historia, Honduras.

▲Kidder, Alfred , Jesse D. Jennings and Edwin M. Shook. [1946]. *Excavations at Kaminaljuyu, Guatemala.* The Pennsylvania State University Press, Philadelphia.

▲Marcus, Joyce and Kent V. Flannery. [1996]. *Zapotec Civilization: How Urban Society Evolved in Mexico's Oaxaca Valley.* Thames and Hudson Ltd., London

▲Martin, Simon and Nikolai Grube. [2000]. *Chronicle of the Maya Kings and Queens.* Thames and Hudson Ltd., London

▲Millon, Rene. [1973]. *Urbanization at Teotihuacan, Mexico Vol. 1,* University of Texas Press, Austin.

▲Pasztory, Esther. [1997]. *Teotihuacan: An Experiment in Living.* University of Oklahoma Press, Norman.

▲Schele, Linda and David Fredel. [1990]. *A forest of Kings: The Untold Story of the Ancient Maya.* William Morrow and Company INC., New York

▲Spence, Michael W. and Grégory Pereira. [2007]. The Human Skeletal Remanins of the Moon Pyramid, Teotihuacan. *Ancient Mesoamerica* 18(1):147-157.

▲Sugiyama, N., W.L.Fash, B.W.Fash, and S.Sugiyama. [2020]. The Maya at Teotihuacan?: New Insights into Teotihuacan-Maya Interactions from the Plaza of the Columns Complex, in *Teotihuacan: The World Beyond the City* , K.G.Hirth, D.M.Caballo, and B.Arroyo editors. Dumbarton Oaks Research Library and Collection, Washington D.C.

▲Sugiyama, Sabro. [1998]. Termination Programs and Prehispanic Looting at the Feathered Serpent Pyramid in Teotihuacan, Mexico. In *The Sowing and Dawning, edited by Shirley Boteler Mock.* pp. 146-164. University of New Mexico Press, Albuquerque.

▲Sugiyama, Sabro. [2005]. *Human Sacrifice, Militarism, and Rulership: Materialization of State Ideology at the Feathered Serpent Pyramid, Teotihuacan.* Cambridge University Press, Cambridge.

▲Sugiyama, Sabro and Leonardo López Luján. [2007], Dedicatory Burial/Offering Complex at the Moon Pyramid, Teotihuacan. *Ancient Mesoamerica* 18(1):127-146.

▲White, Christine D., T. Douglas Price, and Fred J. Longstaffe. [2007]. Residential Histories of the Human Sacrifices at the Moon Pyramid, Teotihuacan: Evidence from Oxygen and Strontium Isotopes. *Ancient Mesoamerica* 18(1):159-172.

▲青山和夫・猪俣健、メソアメリカの考古学』、同成社、1997.

▲コウ、マイケル・D.,『古代マヤ文明』、創元社、2003.

▲杉山三郎、「テオティワカン「月のピラミッド」におけるイデオロギーと国家: 1998-1999年発掘調査概要」、『古代アメリカ』3:27-52。2000.

▲たばこと塩の博物館(大井邦明　監修)、『カミナルフユー(1991-1994)』、たばこと塩の博物館、1994.

▲マーティン、サイモン　ニコライ・グルーベ、『古代マヤ王歴代誌』、創元社、2002.

ヨーロッパ編 (エリニコのピラミッド)

▲Lefkowitz, M., (2006) "Archaeology and the politics of origins", in G. G. Fagan (ed.) Archaeological Fantasies: How Pseudoarchaeology Misrepresents the Past and Misleads the Public. Routledge: London and New York. pp. 195-195.

▲Liritzis, I and A. Vafiadou, (2005) "Dating by luminescence of ancient megalithic masonry", Mediterranean Archaeology & Archaeometry 5-1, pp. 25-38.

▲Lord, L. E., (1938) "The "Pyramids" of Argolis", Hesperia 7, pp. 481–527.

▲Lord, L. E., at al., (1941) "Blockhouses in the Argolid", Hesperia 10, pp. 93–112.

▲Theodossiou, E., et al., (2011) "The pyramids of Greece: Ancient meridian observatories?" Bulgarian Astronomical Journal 16, pp. 130-143.

ヨーロッパ編 (ガイウス・ケスティウスのピラミッド)

▲A. Claridge, Rome(2010) : An Oxford Archaeological Guide, Oxford, 2nd ed.,

▲M. Swetnam-Burland(2015) , Egypt in Italy: Visions of Egypt in Roman Imperial Culture, Cambridge,.

▲藤澤桜子「ローマ美術のエジプト趣味: 壁画にみるアウグストゥスのエジプト征服とその影響」『群馬県立女子大学紀要』36, 2015年, 103-126頁

主な参考文献

ボロブドゥール編

▲Dumarcay, J., Smithies, M. (1998). Cultural Sites of Malaysia, Singapore, and Indonesia. New York, Oxford University Press.

▲Krom, N. J. (1927). Barabudur. New York, AMS Press.

▲Miksic, J. (1991). Borobudur: Golden Tales of the Buddhas. Singapre, Periplus.

▲石井和子「ボロブドゥールと『初会金剛頂経』シャイレーンドラ朝密教受容の一考察」『東南アジアー歴史と文化』No. 21、3-29、1992.

▲岩本裕「インドネシアの仏教」『アジア仏教史インド篇VI 東南アジアの仏教』佼成出版社、1973.

▲江川幹幸『レバッ・チベドゥ遺跡とバドゥイ族ー西ジャワの石積み基壇遺構』『沖縄国際大学社会文化研究』、5(1)、1-32、2001.

▲小野邦彦「山岳信仰から探るジャワ島のヒンドゥー教文化」『吉村作治先生古稀記念論文集』中央公論美術出版、91-104、2013.

▲斎藤忠『仏塔の研究ーアジア仏教文化の系譜をたどる』、第一書房、2002.

▲坂井隆「古代における仏塔の伝播ーボロブドゥールと奈良頭塔の関係について」『日本考古学』、25、23-45、2008.

▲田中公明『マンダライコノロジー』、平河出版社、1987.

▲田中公明『両界曼荼羅の源流』、春秋社、2020.

▲千原大五郎『ボロブドゥールの建築』、原書房、1970.

▲千原大五郎『インドネシア社寺建築史』、日本放送出版協会、1975.

▲中村元『華厳経・楞伽経』、東京書籍、2003.

▲ローケシュ・チャンドラ「真言密教の遺跡ボロブドゥル（山本智教訳）」『密教文化』、131、27-49、1980.

▲並河亮『ボロブドゥール華厳経の世界』、講談社、1978.

▲正木晃『マンダラとは何か』、NHKブックス、2007.

▲Krom, N. J.,『インドネシア古代史（有吉巌編訳）』、道友社、1985.

特集ページ（エジプト文字とメロエ文字）

▲Adkins, L. and R. Adkins (2000). The keys of Egypt: The race to read the Hieroglyphs. New York, HarperCollins.

▲Allen, J. P. (2013). The ancient Egyptian language: An historical study. Cambridge, Cambridge University Press.

▲Dreyer, G. (2011). Tomb U-j: A royal burial of Dynasty 0 at Abydos. Before the Pyramids: The Origins of Egyptian Civilization. E. Teeter. Chicago, The Oriental Institute. 127-136.

▲Criffith, F. L. (1911). Karanòg: The Meroitic inscriptions of Shablûl and Karanòg. Philadelphia, University Museum Philadelphia.

▲Hintze, F. (1955). Die sprachliche Stellung des Meroitischen. Berlin, Akademie-Verlag.

▲Honour, A. (1966). The man who could read stones: Champollion and the Rosetta Stone. New York, Hawthorn Books.

▲Loprieno, A. (1995). Ancient Egyptian: A linguistic introduction. Cambridge, Cambridge University Press.

▲Andrews, C. A. R. (1981). The Rosetta Stone. London, British Museum Publications.

▲Parkinson, R. B., W. Diffie, M. Fischer, and R. Simpson (1999). Cracking codes: The Rosetta Stone and decipherment. London, British Museum Press.

▲Quirke, S. and C. A. R. Andrews (1988). The Rosetta Stone: Facsimile drawing. London, British Museum Press.

▲Rilly, C. and A. J. de Voogt (2012). The Meroitic language and writing system. Cambridge, Cambridge University Press.

▲Robinson, A. (2018). Cracking the Egyptian code: The revolutionary life of Jean-François Champollion. London, Thames & Hudson.

▲Rowan, K. (2006). "A phonological investigation into the Meroitic 'syllable' signs — ne and se and their implications on the e sign." SOAS Working Papers in Linguistics 14: 131–167.

▲ジャン・ラクチュール（矢島文夫、岩川亮、江原聡子訳）、『シャンポリオン伝 上』、河出書房新社、2004a.

▲ジャン・ラクチュール（矢島文夫、岩川亮、江原聡子訳）、『シャンポリオン伝 下』、河出書房新社、2004b.

▲ジョン・レイ（田口未和訳）、『ヒエログリフ解読史』、原書房、2008.

▲ブリジット・マクダーモット（近藤二郎監修、竹田悦子訳）、『古代エジプト文化とヒエログリフ』新装普及版、産調出版、2005.

▲ホラポッロ（伊藤博明訳）、『ヒエログリフ集』、ありな書房、2019.

▲マーク・コリアー＆ビル・マンリー（坂本真理、近藤二郎訳）、『ヒエログリフ解読法：古代エジプトの文字を読んでみよう』、ニュートンプレス、2000

写真提供者

河江肖剰
p002. P003, p004, 005, p010, p019上・下, p020, p021, p023, p024,
p026, p027, p028, p029, p030, p031下, p032, p033, p034, p035,
p036, p037, p038, p041, p042, ;043, p044, p045, p046, p054, p055,
p056, p057, p058, p064, p065, p066, p067, p069, p070, p071, p072,
p073, p076, p077, p078, p079, p081, p082, p083

佐藤悦夫
p089, p093, p098, p099, p100, p101, p102, p107, p109, p121

佐藤昇
p015・5段目, p124, p126, p127

下田一太
p134, p135, p137, p138, p139, p143, p144, p147

宮川創
p151, p152

Colin Dutton/Millennium Images, UK /amanaimages
p128

Courtesy of Ancient Egypt Research Associates Inc.
P074, p075

E. Laroze (CNRS)- Wadi el-Jarf mission
p049

Felix Arnold
p031上

The Metropolitan Museum of Art 収蔵、
Accession Number: 09.180.18。 Public Domain
P033右下

p129上：
JEREMY HOARE/SEBUN PHOTO /amanaimages

p129下左：
v. arcomano / Alamy /amanaimages

アフロ
p012, P013, p014, p015・1-4段目, p018, p022上,・下, p086, p091,
p094, p096, p108, p116, p129下右, p140, p141, p142, p145, p150

アフロ/AP
p130, p131上・下

おわりに

エジプトの世界遺産のひとつであるメンフィス地区には、紀元前2600年頃から1760年頃までの840年間程の間に、80基以上のピラミッドが建造された。そのなかで、ギザの三大ピラミッドを含めた古王国第4王朝のピラミッド群は、巨大さ、「カミソリ一枚も入らないような接合面」と表現されるような建築技術の高さから、しばしば人間業とは思えないと言われている。

しかし実際には、ピラミッドほど人間くさい建造物はない。私がそれを実感したのは「ピラミッド・タウン」と呼ばれるギザの古代都市の発掘に従事したときだ。本文でも登場するこの遺跡は、スフィンクスの南500メートルに位置する、ギザのカフラー王とメンカウラー王のピラミッド造営に携わった人々や高官たちが住んでいた町である。そこには、人間とピラミッドとの関わりを明確に示す住居や食生活や道具の痕跡が残っている。

この遺跡に加え、ピラミッド自体も、人間の痕跡を強く感じることができる場所がいくつかある。数年前、大ピラミッドに登頂する機会があり、北東の角80メートルに位置する窪みや露出した頂上部から、建設に用いられたと考えられる穴

や溝、粗雑な石材の接合面などを見つけた。それは、ある種、ピラミッドが完璧ではないことをまざまざと感じることができる場所だった。

　ピラミッドは試行錯誤の産物である。そこには、いくつもの失敗とその中で生み出されたイノベーションが存在し、さらに探求者としての古代エジプト人が、国内外の辺境の地へと赴き、入手した様々な資源が導入されていたのである。それは新しいピラミッドのイメージである。そしてそれは、本書で示されているように、エジプトのみならず、世界中のピラミッド研究で明らかになりつつあるものだ。

　最後に、本書の刊行を依頼して頂いたグラフィック社の編集者である坂田哲彦さんには、何度もスケジュール調整をしながら、根気強く執筆を待って頂き、心より感謝致します。素晴らしいイラストを描いてくれたイラストレーターのいとう良一さん、古代エジプト語についての言語学的視点からアドバイスを頂いた宮川創先生にも御礼申し上げます。他にも名前は挙げていませんが、いつものように本当に多くの方にお世話になりました。この場をお借りして感謝致します。

2020年12月　河江肖剰

河江肖剰（かわえ・ゆきのり）

エジプト編
考古学者。名古屋大学高等研究院准教授。米ナショナルジオグラフィック・エクスプローラー。エジプトのピラミッドの3D計測や「ピラミッド・タウン」の発掘に従事。TBS世界ふしぎ発見やNHKスペシャルなどに出演し、エジプト文明についての知見を広めている。主な著書に『ピラミッド:最新科学で古代遺跡の謎を解く』（新潮文庫）、『河江肖剰の最新ピラミッド入門』（日経ナショナルジオグラフィック社）等。

佐藤悦夫（さとう・えつお）

テオティワカン編
富山国際大学現代社会学部教授。博士（学術）。専門は、メソアメリカ考古学、観光人類学。1999年よりメキシコ、テオティワカン遺跡「月のピラミッド」考古学プロジェクトに参加。現在も、テオティワカン遺跡の調査を行っている。主な著書に『マヤ学を学ぶ人のために』（共著、世界思想社）、『マヤとインカ:王権の成立と展開』（共著、同成社）等。

佐藤昇

ギリシア「エリニコのピラミッド」
神戸大学大学院人文学研究科准教授。東京大学大学院博士課程修了。古代ギリシア史専攻。著書に『古典期アテナイの賄賂言説』（山川出版社）、『歴史の見方、考え方』（山川出版社、編著）、『アレクサンドロス大王』（刀水書房、訳書）等。

髙橋亮介

イタリア「ガイウス・ケスティウスのピラミッド」
東京都立大学人文社会学部准教授。ロンドン大学キングズカレッジ古典学科博士課程修了（PhD）。専門は西洋古代史。主な著書に『ラテン語碑文で楽しむ古代ローマ』（共著、研究社）、『ローマ帝国と地中海文明を歩く』（共著、講談社）。

下田一太

アジア編「ボルブドゥールのピラミッド」
筑波大学准教授。東南アジアの建築史、歴史的建築の保存や活用のための建築遺産学を専門とする。東南アジアの古代・中世の建築と都市に関する研究に取り組む他、アンコール・ワットをはじめとするアンコール遺跡等の修復工事に携わる。近年では文化庁の文化財調査官としてユネスコ世界遺産の申請や保存管理の業務に従事した。

宮川創

特集「エジプト文字とメロエ文字」
関西大学東西学術研究所アジア・オープン・リサーチセンターのポスト・ドクトラル・フェロー。京都大学言語学専修博士後期課程・ゲッティンゲン大学エジプト学・コプト学講座博士課程。元・日本学術振興会特別研究員（DC1）、ドイツ研究振興協会研究員。京都大学修士（言語学）。専門は歴史言語学、コプト語を含む古代エジプト語史、古ヌビア語、メロエ語、人文情報学。国際学術誌等に掲載された論文は24本。

世界のピラミッド
Wonderland

2021年1月25日　　　初版第1刷発行

著者	河江肖剰・佐藤悦夫 他
発行者	長瀬 聡
発行所	株式会社グラフィック社
	〒102-0073
	東京都千代田区九段北1-14-17
	TEL 03-3263-4318
	FAX 03-3263-5297
	郵便振替 00130-6-114345
	http://www.graphicsha.co.jp
印刷・製本	図書印刷株式会社

STAFF

ブックデザイン	米倉英弘（細山田デザイン事務所）
	山本哲史（細山田デザイン事務所）
	横村葵
イラスト	いとう良一
	LALA THE MANTIS
編集	坂田哲彦（グラフィック社）

ISBN978-4-7661-3431-5 C0022
©Yukinori Kawae, Etsuo Satou 2021, Printed in Japan